Transports

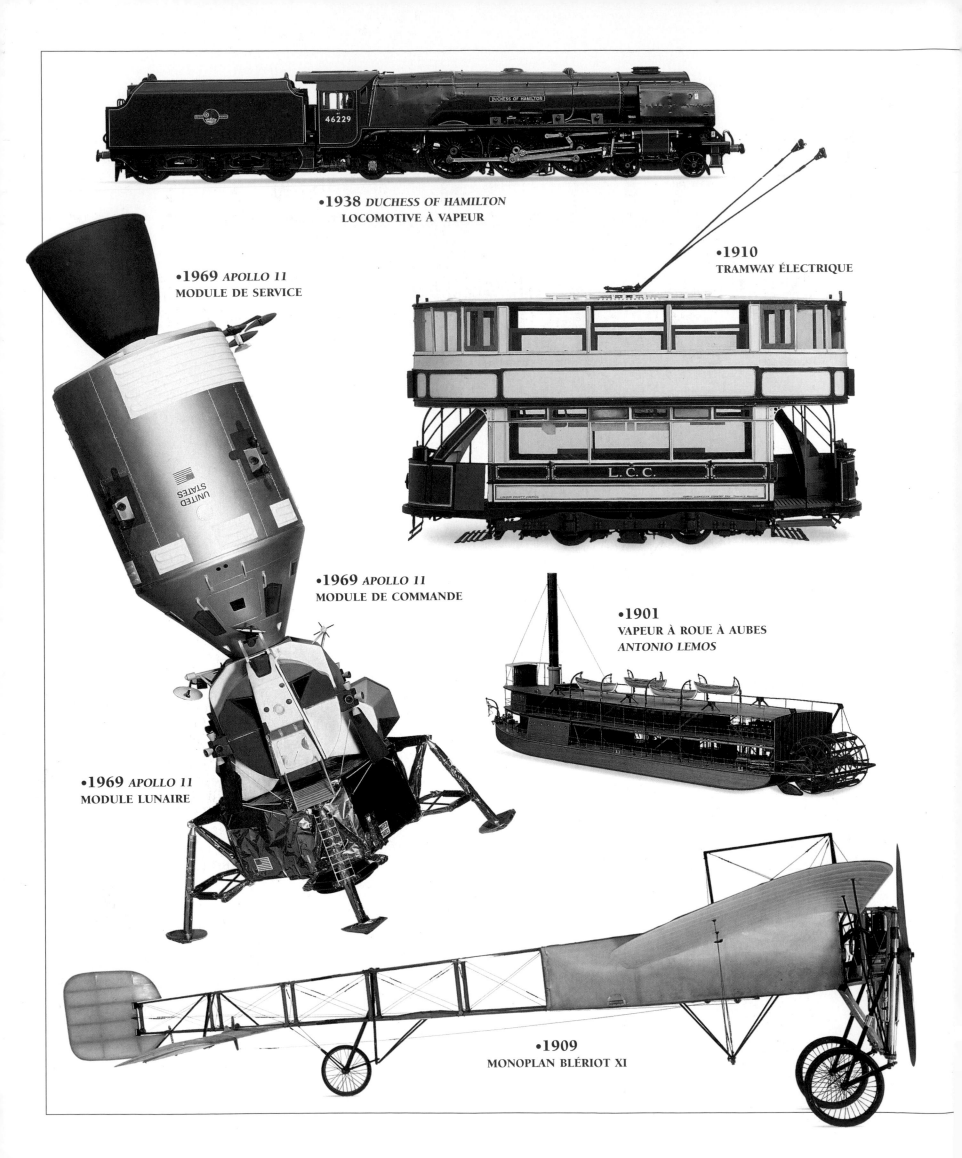

•1938 *DUCHESS OF HAMILTON*
LOCOMOTIVE À VAPEUR

•1910
TRAMWAY ÉLECTRIQUE

•1969 *APOLLO 11*
MODULE DE SERVICE

•1969 *APOLLO 11*
MODULE DE COMMANDE

•1901
VAPEUR À ROUE À AUBES
ANTONIO LEMOS

•1969 *APOLLO 11*
MODULE LUNAIRE

•1909
MONOPLAN BLÉRIOT XI

Transports

UNE CHRONOLOGIE VISUELLE

ANTHONY WILSON

Traduit de l'anglais par Nicolas Witkowski

•**1988** FERRARI TESTAROSSA

•**1939**
CUIRASSÉ
BISMARCK

•**v. 750**
CHAR À BŒUFS CHINOIS
DYNASTIE TANG

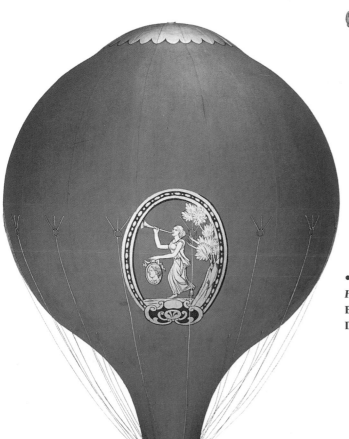

•**1784**
FLESSELLES,
BALLON À AIR CHAUD
DES FRÈRES MONTGOLFIER

SEUIL

UN LIVRE DORLING KINDERSLEY

Édition originale
Stephen Setford, Lester Cheeseman,
Helen Parker, Peter Bailey,
Anna Lord, Robert Graham,
Louise Barratt, Eryl Davies

Réalisation de l'édition française
PAO, Éditions du Seuil

Titre original : *On the Move : A visual History of Transport*
éditeur original : Dorling Kindersley, Ltd., Londres
© 1995 Dorling Kindersley Ltd., Londres

© Automne 1995, Éditions du Seuil,
27, rue Jacob, 75006 Paris
pour la traduction française.

Dépôt légal : mars 1996.
ISBN : 2-02-025701-7.
(ISBN originale : 07513-5285-3).

Loi 49-956 du 16 juillet 1949
sur les publications destinées à la jeunesse.

Reproduit par Colourscan, Singapour
Imprimé et relié par Mondadori,
Vérone, Italie.

Table

AVANT-PROPOS

L'HISTOIRE DES TRANSPORTS est celle de l'ingéniosité dont ont fait preuve toutes les civilisations, depuis des milliers d'années, pour déplacer hommes et marchandises d'un endroit à un autre. Les premières charrettes et les pirogues étaient aussi indispensables aux fermiers et pêcheurs d'autrefois que le sont aujourd'hui les voitures, les trains ou les avions. Parce qu'ils jouent un rôle essentiel dans notre vie de tous les jours, les moyens de transport sont indissociables de l'histoire des hommes ; c'est leur évolution que retrace ce livre.

Certains navires ou véhicules décrits ici n'ont jamais été d'usage courant, mais ils sont mentionnés, car ils ont permis de grands voyages d'exploration vers des terres inconnues, au fond des océans ou même sur la lune. D'autres sont mentionnés pour montrer l'extraordinaire diversité des applications particulières des transports –, des cuirassés aux bombardiers et des patins à roulettes aux planches de surf.

Les « grands ancêtres » qui ont marqué des avancées majeures dans l'évolution des transports sont aussi bien représentés. Mais dans ce domaine, une innovation doit, pour réussir, répondre à de sévères critères : l'engin est-il fiable, et satisfait-il un besoin réel ? Les techniques mises en œuvre sont-elles suffisamment simples pour être aisément entretenues et réparées ? Et surtout, sont-elles suffisamment bon marché pour que tout un chacun puisse y accéder ? Dans cette histoire, vous trouverez bon nombre d'inventions, tels le « grand bi » ou le Concorde, qui n'ont pas satisfait à ces critères, ainsi que d'autres qui ont rencontré de formidables succès. Cette histoire des transports, enfin, est aussi celle de l'évolution des techniques – nouveaux matériaux, carburants ou moteurs, ponts, tunnels, routes et chemins de fer – qui ont permis la mise en place des moyens de transport actuels.

Parce que nous utilisons quotidiennement les moyens de transport, ils nous semblent aller de soi. Puisse ce livre vous montrer la richesse d'un domaine des techniques qui n'a cessé de se développer depuis l'Antiquité... et qu'il vous incite à imaginer le futur. Si l'avenir des transports est aussi varié et excitant que son passé, nous n'allons pas nous ennuyer !

Anthony Wilson

Anthony Wilson

10 000 AV. J.-C.-1779
Au rythme de la nature

Cavalier
sibérien, Ve siècle
av. J.-C.

**Ferrage d'un cheval, Inde du Nord,
vers 1600 av. J.-C.**

Depuis l'apparition des premiers hommes, il y a un demi-million d'années, jusqu'à l'aube du XXe siècle, on se déplaçait rarement à plus de quelques dizaines de kilomètres du lieu de sa naissance. Les grands voyages, car il y en eut, étaient faits à pied. Aujourd'hui encore, la majorité des habitants de la planète n'ont ni voiture ni vélo, et ne se déplacent qu'occasionnellement en train ou en autobus. Pourtant, les nouveaux modes de transport apparus au cours de l'histoire ont eu une grande influence sur notre façon de vivre. Trois grandes innovations ont vu le jour il y a plus de 4 000 ans : la pirogue, le char et la domestication du cheval. Elles ont été à la base des transports jusqu'à la fin du XVIIIe siècle et leur influence est encore perceptible aujourd'hui.

La naissance des navires

Les premières embarcations ont probablement été des troncs d'arbre ou des radeaux de branchages, incapables de supporter de lourdes charges. Les pirogues, faites d'un tronc évidé, ont été les premiers vrais bateaux, rendant possible le transport des hommes et des marchandises. En 2500 av. J.-C., les Égyptiens construisaient des navires à voiles faits de planches de bois liées entre elles. Deux types de navires bien distincts apparurent ensuite : les bateaux de guerre,

LA MAÎTRISE DU CHEVAL
Parce qu'il est rapide, puissant et endurant, le cheval a joué un rôle crucial dans l'histoire des transports. De même que les véhicules d'aujourd'hui sont de tailles et de formes variées, de nombreuses espèces de chevaux ont été produites par les éleveurs pour satisfaire des besoins particuliers. Certains sont de bons animaux de trait ou de charge, d'autres sont appréciés pour leur vitesse ou leur résistance. L'invention du fer à cheval permit d'employer des chevaux sur des terrains difficiles.

Modèle en bronze d'un char de course romain, IIe siècle av. J.-C.

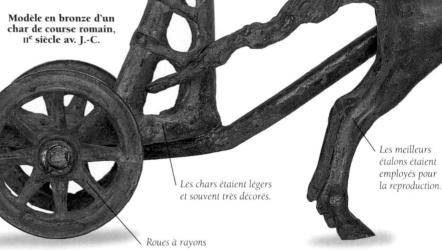

Les meilleurs étalons étaient employés pour la reproduction.

Les chars étaient légers et souvent très décorés.

Roues à rayons

UN MONDE EN MUTATION : 10 000 AV. J.-C.-1799

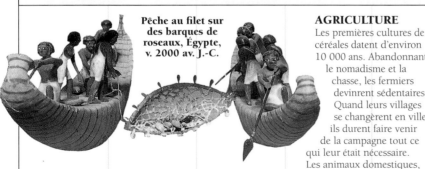

Pêche au filet sur des barques de roseaux, Égypte, v. 2000 av. J.-C.

CHASSE ET PÊCHE
Les premiers peuples étaient des nomades, vivant en petits groupes et se déplaçant d'un endroit à un autre en quête de nourriture. Ils chassaient les animaux sauvages, pêchaient et pratiquaient la cueillette. Ils durent trouver des moyens pour tirer ou porter leurs prises jusqu'à leur campement. Les pêcheurs s'aventurèrent sur des radeaux et des pirogues.

AGRICULTURE
Les premières cultures de céréales datent d'environ 10 000 ans. Abandonnant le nomadisme et la chasse, les fermiers devinrent sédentaires. Quand leurs villages se changèrent en villes, ils durent faire venir de la campagne tout ce qui leur était nécessaire. Les animaux domestiques, élevés pour leur viande, furent employés pour porter des charges ou labourer la terre tandis que l'on commença à monter à cheval, et même à dos d'éléphant.

Modèle chinois de bœuf tirant une charrue

Le grand voyageur Marco Polo sur la route de la Soie

COMMERCE
Les marchands, voyageant d'une ville à l'autre pour acheter et vendre des marchandises, apparurent alors. Leur monnaie était du sel, des peaux d'animaux ou des pièces d'or et d'argent. Des routes commerciales, comme la route de la Soie qui allait de Chine en Perse, voyaient de nombreux marchands échanger des biens et des matériaux précieux.

GUERRIERS
La population s'accroissant, les querelles se firent aussi plus nombreuses. Les rivalités familiales dégénérèrent en luttes tribales, puis en guerres entres les nations rivales. Or, le transport est essentiel à la guerre. Si les armées marchaient à pied, il fallait des charrettes pour transporter le ravitaillement, et des chars pour impressionner l'ennemi. Quant aux cavaliers, ils étaient plus rapides et mieux armés que les fantassins. Bientôt apparurent sur mer des navires de guerre.

Archer sur un cheval, Ve siècle av. J.-C.

longs et étroits, propulsés par des rameurs, et les bateaux de marchandises, plus ronds et marchant à la voile. Ces embarcations se perfectionnèrent peu à peu jusqu'aux XVe et XVIe siècles, époque à laquelle Christophe Colomb et Fernand de Magellan firent les premières grandes traversées océaniques sur des caravelles à voiles carrées.

Le cheval, la roue, le char

On a commencé à monter à cheval il y a environ 4 000 ans. Pour qui pouvait se le permettre, c'était un moyen de transport individuel très rapide. Le cheval est aussi devenu une véritable bête de somme, capable – attelé à des chars ou autres engins à roues –, de transporter des charges importantes.

Les premières charrettes étaient peu maniables et ne pouvaient, avec leurs roues pleines en bois, rouler que sur des surfaces planes. Dès 2000 av. J.-C., les charpentiers savaient construire des roues à rayons, plus grandes, plus légères et utilisables sur des sols accidentés. Ces charrettes donnèrent naissance à une grande diversité de chars, chariots et diligences. À la fin du XVIIIe siècle, les diligences à chevaux étaient fréquentes dans les grandes villes de nombreux pays, tandis que de splendides navires à voiles sillonnaient les océans pour transporter des marchandises d'un pays à l'autre. Mais le transport reposait entièrement sur la force du vent ou la traction animale, et navires et véhicules étaient construits en bois et autres matériaux naturels, avec de très rares pièces métalliques. Tout cela allait rapidement changer par la suite.

Le timon du char est sculpté d'une tête de bélier.

LES TECHNOLOGIES
VAINCRE LE FROTTEMENT
La roue a été une invention déterminante pour vaincre la résistance qu'oppose toute charge lorsqu'elle est tirée sur un sol inégal : le frottement. Quand une lourde charge est posée sur des roues, le frottement est réduit au contact entre les roues et le sol, et le glissement est supprimé. Les frottements sont cependant reportés sur l'axe des roues, et l'on s'est préoccupé très tôt de les réduire au moyen d'un manchon de cuir intercalé entre l'axe et son support. Le premier lubrifiant – de la graisse animale – fut employé à cette occasion.

Brouette chinoise

Les longues poignées réduisent l'effort nécessaire pour soulever la charge.

L'emploi d'huile réduit le frottement de l'axe.

La roue tourne sans glisser.

FLOTTER
Si vous essayez d'enfoncer dans l'eau une bouteille vide, vous pourrez sentir la poussée d'Archimède qui tend à faire remonter la bouteille. Le savant grec Archimède a montré que cette poussée est d'autant plus forte que le volume d'eau déplacée est plus grand. Une coque creuse et large est donc non seulement légère, mais aussi capable de supporter une charge importante sans couler, puisqu'elle déplace un volume d'eau important. Il n'est même pas nécessaire que le matériau de la coque flotte : certains bateaux sont construits en acier ou en béton.

Canoë en écorce de bouleau, Amérique du Nord

La poussée d'Archimède fait flotter la coque.

L'évasement de la coque lui permet de déplacer un grand volume d'eau.

Voie romaine à Pompéi, Italie

ROUTES ET EMPIRES
Les guerres se traduisirent par des invasions et des conquêtes qui formèrent d'immenses empires, tels l'Égypte, la Perse, Rome et l'empire Maya en Amérique centrale. Pour gouverner des régions aussi étendues, on construisit des routes qui mirent à quelques jours de cheval les contrées les plus reculées, facilitèrent le commerce et permirent aux armées de se rendre rapidement aux frontières en cas de menace.

CANAUX
Le bateau est le meilleur moyen de transporter de grandes quantités de marchandises. Là où les rivières ne convenaient pas, on creusa des canaux destinés à des barges tirées par des hommes ou des animaux. Les premiers canaux égyptiens datent d'il y a 4 000 ans et les travaux du Grand Canal de Chine commencèrent en 500 av. J.-C. En Europe, le commerce fluvial ne prit de l'importance qu'à partir du Moyen Âge.

Le Grand Canal de Chine, XVIIIe siècle

Astrolabe, 1585

EXPLORATIONS
Les hommes ont toujours été habités par le désir de découvrir des terres nouvelles. Les marins de la Grèce antique ont exploré les côtes d'Europe et d'Afrique, y fondant de nombreuses colonies. Plus tard, les grands voyageurs européens découvrirent l'Amérique, puis l'Australie, et s'y installèrent. Leurs navires, comme le *Mayflower* qui transporta en Amérique des colons anglais, semblent aujourd'hui bien petits et fragiles.

Modèle du *Mayflower*, 1620

10 000 AV. J.-C. −5000

−10 000	−9000	−8000	−7000	−6000	−5000	−4600	−4200	−3800

TERRESTRE

AV. −10 000 TRANSPORT À DOS D'HOMME

Pour les premiers hommes, l'unique moyen de transport était la marche à pied. Seuls les bébés ou les hommes malades ou blessés étaient portés par les autres membres du groupe. Les animaux tués à la chasse devaient être tirés sur le sol ou portés à dos d'homme. Les plus lourds étaient suspendus à un bout de bois et portés par deux hommes ou plus.

Chasseur de l'âge de pierre portant une proie

Reconstitution d'un traîneau, tombe royale d'Our, Mésopotamie, v. −2500

Patins

V. −5000 TRAÎNEAUX

Les objets trop lourds pour être portés étaient tirés sur des écorces d'arbres ou des peaux d'animaux jusqu'à ce que soit inventé le traîneau. En Mésopotamie (une partie de l'actuel Irak), on transportait des statues ou des blocs de pierre au moyen de traîneaux de bois, parfois dotés de patins qui réduisent le frottement avec le sol et facilitent la traction.
Voir TRAÎNEAU VIKING, v. 850.

V. −5000 ANIMAUX DE BÂT

Les premiers animaux domestiques furent élevés pour leur viande ou, comme le chien, pour aider à la chasse. Ânes et mulets furent sans doute les premiers animaux de bât – c'est-à-dire utilisés pour transporter des charges, atteignant 60 kg dans le cas des ânes.

Âne bâté suivant une procession égyptienne

V. −4000 ROULAGE SUR DES RONDINS

Pour construire leurs monuments religieux et astronomiques, les peuples d'Europe déplaçaient les énormes blocs de pierre en les faisant rouler sur des troncs d'arbres. Ces pierres, appelées mégalithes, étaient transportées par bateau depuis leur lieu d'extraction, puis halées jusqu'au chantier.

Mégalithe déplacé sur des rondins de bois

MARITIME

Radeau, Australie occidentale

V. −10 000 TRONCS ET RADEAUX

Les premiers bateaux furent sans doute de simples troncs d'arbres. On apprit plus tard à fabriquer des radeaux en liant ensemble des branches ou des fagots de roseaux. D'abord gouvernés avec les bras et les jambes, ces premiers radeaux furent vite équipés de pagaies, puis de flotteurs leur permettant de supporter des charges.

Gravure assyrienne montrant un pêcheur sur une outre

V. −10 000 FLOTTEURS EN OUTRES GONFLÉES

Pour traverser les rivières, et faire flotter leurs radeaux, les premiers navigateurs cousaient une peau d'animal, en bouchaient les trous, puis la gonflaient. Ils employaient aussi des outres ou des récipients en terre.

V. −7000 PIROGUES MONOXYLES

Les premiers véritables bateaux furent des troncs coupés en deux dans la longueur et brûlés d'un côté, puis taillés avec des outils en pierre. Une pirogue est plus maniable et plus légère qu'un radeau, surtout si sa coque est faite d'écorce.
Voir CANOË D'ÉCORCE, 1770.

Coracle, Iran

V. −5000 CORACLES

Les peaux d'animaux sont utilisées pour assurer l'étanchéité des bateaux depuis les temps les plus reculés. Les coracles babyloniens étaient faits de peaux cousues sur un tressage d'osier, puis recouvertes de bitume. Les coracles sont encore utilisés aujourd'hui, comme les curraghs irlandais construits selon le même principe.

Fabrication d'une pirogue

V. −3100 NAVIRE À VOILES *Égypte*

Les anciens Égyptiens furent sans doute les premiers navigateurs à voile. Une voile carrée permet en effet de remonter facilement le Nil, le vent soufflant généralement d'aval en amont. Le voyage de retour se faisait à la rame ou avec l'aide du courant. Un long aviron était utilisé pour gouverner le bateau.

Aviron de gouverne

Le barreur se trouve à la poupe.

Modèle de navire à voiles égyptien, v. −1800

ÉVÉNEMENTS

10 000-5001 AV. J.-C.

- **−10 000** Des chasseurs-cueilleurs originaires d'Asie arrivent en Amérique du Nord par le détroit de Béring. Ils vont coloniser tout le continent, jusqu'à la pointe de l'Amérique du Sud, mais leur progression est lente – environ 16 km par an.
- **−10 000** Le loup, et le chien qui en est sans doute un descendant, sont les premiers animaux sauvages à être domestiqués. Les chiens seront plus tard utilisés pour tirer des traîneaux.
- **−8000** Le vestige le plus ancien d'un bateau est une pagaie, trouvée par des archéologues à Star Carr en Angleterre. Son propriétaire, qui habitait au bord d'un lac, devait pêcher avec une pirogue.
- **−8000** Des marins grecs effectuent une navigation de 120 km jusqu'à l'île de Milo pour en rapporter de l'obsidienne. C'est la plus grande navigation connue à l'époque.
- **−7500** Débuts de l'agriculture en Asie du Sud-Ouest. Les fermiers transportent leurs récoltes avec des traîneaux et des chariots tirés par des animaux.
- **−6000** Sur les côtes de l'Écosse et de la Suède, les pêcheurs utilisent des bateaux pour aller en haute mer.

Reconstitution d'une roue en planches

5000-3001 AV. J.-C.

- **−5000** Sur la neige, le sable et l'herbe, hommes et marchandises sont transportés sur des traîneaux.
- **−5000** Les mulets sont employés pour transporter des charges. On utilise des ânes, des chameaux et des éléphants en Asie, des lamas en Amérique du Sud.
- **−4500** Domestication du cheval, dans les steppes d'Ukraine et dans la Turquie et l'Iran actuels. Le cheval est un animal de trait et de bât.

Le propriétaire disposait d'une tente en peau de bœuf.

- **−3500** Apparition des véhicules à roues en Mésopotamie. Les premiers sont sans doute des traîneaux dotés de roues.
- **−3500** En Mésopotamie, construction de routes et de ponts de pierre pour faciliter les transports.
- **−3100** En Égypte, débuts de la navigation à voile. Les premiers voiliers sont des pirogues de papyrus, une espèce de roseau poussant au bord du Nil.

−3000

−2000

−3000	−2800	−2600	−2400	−2200	−2000	−1800	−1600	−1400	−1200

V. −3000 ÉQUITATION

Un des événements les plus importants de l'histoire des transports se produisit il y a environ 5000 ans, avec la domestication du cheval. Cet animal jusque-là sauvage fut alors employé pour les déplacements, la chasse et la guerre. L'invention du harnais, ensemble de sangles de cuir attachées autour de la tête du cheval et d'un mors métallique passant dans sa bouche, permit de mieux contrôler la monture.

Les cordes maintenant le mât et les voiles constituent le gréement.

La voile est fixée sur une vergue.

Barde de poitrail

Cavalier assyrien utilisant un harnais, VIIe siècle av. J.-C.

V. −2400 CHARRETTE COUVERTE *Syrie*

Les premières charrettes avaient de nombreux usages. Certaines appartenaient à des rois, d'autres à des nomades qui les utilisaient comme maisons. Les marchands, qui se déplaçaient de ville en ville avec leurs marchandises, utilisaient des charrettes semblables à ce modèle en terre cuite.

Modèle en terre cuite Syrie, v. −2500 −2300

Le char de combat de Toutankhamon, v. −1340

V. −1340 CHAR *Égypte*

Les chars légers à deux roues viennent aussi de Mésopotamie. Tirés par des chevaux, ils étaient rapides, faciles à manœuvrer et très efficaces à la guerre. Les chars égyptiens, comme celui du pharaon Toutankhamon, avaient des roues à rayons, plus légères que les roues en planches. Ils portaient généralement deux personnes, le conducteur et un guerrier.

V. −2500 CHARIOT À QUATRE ROUES *Mésopotamie*

Les premiers véhicules à roues ont été construits autour de −3500 par les Sumériens qui vivaient en Mésopotamie. Ils étaient sans doute tirés par des onagres, ou hémiones, un croisement d'âne et de cheval sauvages. Les roues étaient faites de planches jointes par des coins de bois.

Chariot de guerre sumérien à quatre roues, v. −2500

V. −2600 BARQUE ROYALE *Égypte*

Certains navires égyptiens, comme la somptueuse barque royale du pharaon Kheops, avaient un usage purement cérémoniel. Construite en bois de cèdre importé, elle a 43 m de longueur et 6 m de largeur. À la mort de Kheops, la barque fut démontée et enterrée dans une fosse au pied de la grande pyramide, afin que le pharaon l'utilise dans son voyage vers l'au-delà.

Les voiles furent d'abord en papyrus, puis en lin.

Ces hommes poussent le bateau avec des perches.

Cabine du pharaon

Monture du dais (tente)

La barque est propulsée par cinq paires d'avirons, plus puissants, car plus longs, que des pagaies.

Mât unique

L'avant du bateau est la proue.

Modèle de la barque royale de Kheops, v. −2600

Sonde pour mesurer la profondeur de l'eau

Voiles en feuilles de cocotier

V. −2000 PIROGUE DOUBLE *Polynésie*

Il y a 4 000 ans, les Polynésiens quittèrent l'Asie du Sud-Est pour coloniser les îles du Pacifique. Ils parcoururent des distances considérables à bord de pirogues doubles reliées par une plate-forme. Ces « catamarans » étaient très stables et pouvaient porter de grandes voiles sans chavirer.

Pirogue double polynésienne

La coque est faite de courtes planches de bois chevillées.

2000-1001 av. J.-C.

• **−2500** En Égypte, construction de bateaux à partir de bordés de bois.
• **−2500** Au Khazakhstan, on pratique le ski !
• **−2500** Une voie pavée et surélevée de 1 km de long est construite en Égypte. Elle permet de tirer les deux millions de blocs de pierre nécessaires à la construction de la grande pyramide.
• **−2500** Les guerriers mésopotamiens utilisent des chariots à quatre roues. En Égypte, 1000 ans plus tard, les Hyksos (venant d'Asie) introduiront le char à deux roues, plus rapide.
• **−2300** Les Égyptiens creusent des canaux pour faciliter le passage des rapides du Nil à Assouan.

• **−2000** Des routes sont construites sur l'île de Malte. Elles sont dotées de « rails » creux espacés de 1,3 m, afin de faciliter la traction des chariots.
• **−2000** Apparition des roues à rayons en Mésopotamie. Elles arriveront en Égypte en −1600 et en Chine en −1300.
• **−1900** Début des travaux des premières grandes « routes » en Europe. Ces pistes reliant l'Europe du Nord à la Méditerranée sont essentielles pour le commerce des matières précieuses tels l'étain et l'ambre.

• **−1400** Les véhicules à roues sont utilisés en Europe. Les roues à rayons seront employées 900 ans plus tard.
• **−1300** Les cavaliers guident leurs chevaux au moyen d'un mors, pièce métallique passée dans la bouche du cheval, et d'une bride.
• **−1100** Les marins phéniciens pratiquent la navigation aux étoiles.

Ils utilisent l'étoile polaire pour trouver le nord, et dressent des cartes du ciel.

La coque est faite de courtes planches de bois chevillées.

• **−3000** En Mésopotamie, invention du joug. Cette planche taillée et placée sur l'encolure des bœufs leur permet de tirer de lourdes charges.
• **−3000** Débuts de l'équitation. On monte à cru, en guidant le cheval grâce à une corde attachée à sa mâchoire inférieure.
• **−2500** En Égypte, on nage aussi bien le crawl que la brasse.

Mors de cheval

1000 AV. J.-C.

| −1000 | −900 | −800 | −700 | −600 | | −200 |

Chameau-jouet, Égypte romaine

v. −550
CHAR DE COURSE *Grèce*

Tiré par quatre chevaux au grand galop, ce char grec devait être très rapide mais difficile à maîtriser, surtout dans les virages. Lors des jeux Olympiques, où plus de 40 chars prenaient le départ de la course de 14 km, bien peu parvenaient jusqu'à l'arrivée. Le prix n'allait pas au conducteur du char, mais à son propriétaire.

Vase grec montrant une course de chars, VIIᵉ siècle av. J.-C.

Toit de bambou tressé

Char à bœufs chinois

v. −1000 CHAMEAU *Moyen-Orient*

Dans les régions chaudes et arides, où l'eau et la nourriture sont rares, le chameau (plus exactement le dromadaire) est bien plus utile que le cheval. D'abord utilisé comme animal de bât au Moyen-Orient, il se répandit ensuite en Afrique, à mesure que le Sahara se changea en désert de sable. Depuis, les longues caravanes n'ont cessé d'y transporter des marchandises.

v. −450 CHAR À QUATRE CHEVAUX *Perse*

Dotés de roues plus grandes, les chars perses pouvaient rouler sur des terrains accidentés, leur adhérence étant assurée par des crampons fixés aux roues. Ce merveilleux petit modèle en or, trouvé près du fleuve Oxus (l'Amou-Daria actuel) en Asie centrale, représente un char à grandes roues tiré par quatre petits chevaux attelés à deux timons.

Roues renforcées

Une trirème était propulsée par 170 hommes.

Les rameurs sont assis sur des bancs de nage.

Chaque aviron est manié par un rameur.

v. −400
FOURGON DÉMONTABLE *Sibérie*

Les nomades qui vivaient dans les steppes de l'Asie centrale se déplaçaient dans de grands fourgons où ils chargeaient tous leurs biens. Lorsqu'ils trouvaient un endroit pour camper, ils enlevaient la partie supérieure du fourgon et l'utilisaient comme une tente.

Modèle en or d'un char perse, Vᵉ siècle av. J.-C.

Fourgon de nomade, Pazyryk, Sibérie, Vᵉ siècle av. J.-C.

Les avirons des deux rangs supérieurs atteignaient 5 m de long.

Coupe d'une trirème grecque

v. −500
TRIRÈME *Grèce*

Dès −800, les Phéniciens construisaient des birèmes – galères à deux rangs de rames de chaque côté. Ces bateaux de guerre furent bientôt suivis par les trirèmes, à trois rangs de rames. Les trirèmes grecques atteignaient 40 m de longueur ; elles étaient dotées d'un éperon de proue destiné à couler les navires ennemis. Elles portaient jusqu'à 170 rameurs ainsi que des archers et des soldats pour l'abordage.

Les roues ont 1,6 m de diamètre.

La voile latine se borde dans l'axe de la coque.

Les deux longs gouvernails sont munis de barres.

v. −200
VOILE LATINE
Méditerranée

Les voiles carrées ou rectangulaires utilisées jusque-là sont très efficaces au vent arrière mais ne permettent pas de remonter au vent. Les voiles triangulaires, ou latines, bordées dans l'axe du bateau, lui donnent une maniabilité bien supérieure. Apparues en Méditerranée, les voiles latines sont toujours utilisées, en mer Rouge et dans l'océan Indien, par les boutres et les dhows.

Une vigie grimpe au sommet du mât.

Le mât unique porte une voile carrée.

v. −1000 NAVIRE MARCHAND *Phénicie*

À partir de −1200, bateaux de guerre et navires marchands changent résolument d'aspect. Les galères, longues, fines et élancées, sont propulsées à la rame et à la voile. Les navires marchands, plus larges et plus ronds, sont surtout des voiliers. Entre −2000 et −350, les Phéniciens dominent le commerce méditerranéen. Leurs navires partent des côtes de Phénicie (Syrie, Liban et Israël) pour atteindre l'Europe du Nord et la côte ouest de l'Afrique.

Coupe d'un navire marchand phénicien

Dhow à voiles latines

La cargaison est rangée dans la cale.

La coque, revêtue de bitume, est étanche.

| 1000-501 AV. J.-C. | | 500 AV. J.-C.-1 APR. J.-C. | |

• **−1000** Sur le réseau routier chinois, on doit observer des limites de vitesse. La largeur des véhicules est contrôlée et la priorité codifiée.

• **−1000** Trois mille ans avant le vol du premier aéroplane, une légende grecque décrit les tentatives de Dédale et d'Icare avec des ailes faites de cire et de plumes d'oiseaux. Dédale atterrit sans encombre en Sicile mais Icare, trop proche du Soleil, s'abîma en mer.

• **−1000** Certains cerfs-volants chinois sont paraît-il si grands qu'ils peuvent soulever un homme.

• **−600** Dans les régions humides et boisées des îles Britanniques, on construit des chemins de planches pour le passage des hommes et des chevaux.

Le phare d'Alexandrie

• **−500** La voie royale, en Perse, couvre 2 600 km depuis Sardis (aujourd'hui en Turquie) jusqu'à Suse (en Iran). Un messager à cheval peut la parcourir en neuf jours.

• **−500** Une route commerciale, qui sera plus tard appelée route de la Soie, est établie entre la Chine et la Perse. Elle est empruntée par des marchands qui transportent de l'or, des pierres précieuses, des épices, du verre et de la soie. Les grandes inventions chinoises, comme le papier et la poudre à canon,

se répandront grâce à cette route, de même que diverses épidémies et maladies infectieuses.

• **−400** Les quelque 300 ports méditerranéens sont fréquentés par des marchands et des pêcheurs.

• **−250** Le plus grand phare du monde (120 m) est achevé près d'Alexandrie, en Égypte. Un feu y est entretenu pour guider les navires à bon port.

• **−200** Apparition du gréement à voile latine en Méditerranée.

• **−55** Les soldats romains construisent sur le Rhin un pont de bois de 550 m en 10 jours.

0   500 APR. J.-C.

| 0 | 100 | 200 | 300 | 400 | 500 | 600 | 700 | 800 | 900 |

V. L'AN ZÉRO CHAR À BŒUFS *Chine*

Au début de notre ère, les charrettes à deux roues avaient un seul timon. Les animaux étaient attelés par deux – un de chaque côté du timon. Les Chinois commencèrent alors à construire des charrettes à deux timons. Elles étaient tirées par un seul animal que l'on attelait, au moyen d'un joug, entre les timons.

Char à bœufs indien à timon central

Le bœuf est placé entre les deux timons.

Le joug se place sur les épaules du bœuf.

v. 100 SELLE *Chine*

Les premiers cavaliers montaient à cru, ou sur une pièce de tissu. Les Chinois innovèrent en utilisant des selles, plus confortables et plus sûres. Faites de cuir mis en forme, elles s'utilisaient avec des étriers métalliques.

Selle

Harnais

Terre cuite de la dynastie Tang (618-906)

V. 850 TRAÎNEAU VIKING *Scandinavie*

Les Vikings préféraient voyager l'hiver, quand la neige efface les irrégularités du terrain. Tirés par des chevaux, des chiens, des rennes ou des hommes à ski, les traîneaux étaient dans ces conditions beaucoup plus efficaces que des véhicules à roues.

Traîneau viking, v. 850

Caisse en bois de bouleau gravé et orné de clous

Patins en chêne

V. 700 CHEVAL ARABE

L'influence arabe s'étendit avec l'expansion de l'Islam, aux VIIᵉ et VIIIᵉ siècles. Si les chameaux étaient employés pour le transport, les chevaux étaient des montures de combat et de chasse. Par sélection des meilleurs étalons pour la reproduction, on obtint une race de chevaux petits, nerveux et endurants.

Cavalier arabe

L'extrémité de la spirale est une tête de serpent.

La proue surélevée évite au bateau d'enfourner (piquer du nez) par gros temps.

V. 850 DRAKKAR *Norvège*

Extraordinaires navigateurs, les Vikings traversèrent l'Atlantique dans des bateaux ouverts. Les drakkars de guerre, étroits et rapides, portaient environ 60 rameurs de chaque côté ; ils étaient aussi utilisés pour le cabotage le long des côtes. Le bateau trouvé à Oseberg, en Norvège, dans la tombe d'une femme riche – sans doute une reine – a 21 m de longueur. Les navires marchands, ou « knarrs », étaient plus larges et naviguaient surtout à la voile ; leurs coques plates leur permettaient de remonter les fleuves. Ces knarrs permirent aux Vikings de coloniser l'Islande et le Groenland.

Knarr viking, navire marchand

Corbite romaine, IIᵉ siècle av. J.-C.

Signe héraldique

Cargaison

La petite voile d'avant (misaine) portée par un mât incliné rend le bateau plus maniable.

Ancre

Reconstruction du drakkar d'Oseberg, IXᵉ siècle

Sabords de nage (orifices pour les avirons)

V. L'AN ZÉRO CORBITE *Rome*

Une grande flotte de navires marchands à deux mâts assurait le transport des marchandises entre les ports de l'Empire romain. La corbite avait une coque en forme de poire, plus large vers l'arrière que vers l'avant. Les plus grandes transportaient jusqu'à 1 000 tonnes de cargaison, ainsi que de nombreux passagers. Certaines s'aventurèrent jusqu'en Inde.

La coque est « à clins », faite de bordés de chêne se recouvrant comme les tuiles d'un toit.

Les membrures sont fixées sur une quille centrale

0-999 APR. J.-C.

- **0-100** Les Romains attachent aux pieds de leurs chevaux des plaques de métal avec des liens en cuir.
- **0-300** La selle, l'étrier et le collier, inventés en Chine, permettent aux chevaux de tirer des charges plus lourdes.
- **0-400** Les villes de l'Empire romain sont reliées par 80 000 km de routes.
- **100** À Rome, les courses de chars attirent jusqu'à 250 000 personnes. Ces courses donnent lieu à des paris et les vainqueurs sont traités en héros.
- **100** Les navires chinois sont dotés (depuis longtemps peut-être) de gouvernails.

- **200** Les Scandinaves utilisent des patins à glace à lames métalliques, au lieu des lames en os employées jusque-là.
- **250** En Amérique centrale, la civilisation Maya atteint son apogée, mais ignore l'usage de la roue et des animaux de trait. Les marchandises sont transportées à dos d'homme ou en pirogue.
- **250** Les Chinois inventent la brouette, qui sera utilisée en Europe 1 000 ans plus tard.

Botte et patin à glace viking, Xᵉ siècle

- **605** Achèvement des premières sections du Grand Canal en Chine. L'ouvrage fera finalement plus de 1 000 km de long et reliera le fleuve Jaune au nord du pays. Au VIIIᵉ siècle, 2 millions de tonnes de marchandises y seront convoyées chaque année.
- **875-985** Les Vikings quittent la Scandinavie pour coloniser l'Islande et le Groenland.
- **900** Les sabots en fer cloués aux pieds des chevaux sont très répandus en Europe. Romains et Celtes sont probablement leurs inventeurs.
- **984** Des écluses, qui permettent aux bateaux de remonter ou de descendre un cours d'eau, sont en usage sur le Grand Canal de Chine.

1000 1175

1000	1035	1070	1105	1175	1210	1245	1280	1315

TERRESTRE

V. 1000 CHEVAL DE COMBAT *Japon*
Les samouraïs japonais portaient une armure légère et montaient de petits chevaux originaires des montagnes du nord du Japon. Cavaliers accomplis, ils pouvaient tirer à l'arc en plein galop. Les chevaliers européens, un peu plus tard, avaient de lourdes armures qui réduisaient fortement leur vitesse de déplacement, d'autant que les chevaux étaient aussi dotés d'épaisses protections. En tout, le cheval devait porter près de 180 kg !

Le cheval porte un caparaçon (couverture) aux armes du chevalier

Samouraï

Chevalier lors d'un tournoi, XIVe siècle

Barde de poitrail en cotte de mailles

V. 1200 CHEVAL DE COMBAT *Europe*
Le succès à la bataille dépendait avant tout de la puissance des cavaliers. Ceux-ci s'entraînaient lors des tournois, au cours desquels deux cavaliers galopaient l'un vers l'autre et tentaient de désarçonner l'adversaire avec leur lance.

Charrette à roues à crampons, v. 1340

V. 1340 CHARRETTE À DEUX ROUES *Europe*
Les premiers harnais, lorsqu'ils étaient attelés à des charrettes, étranglaient l'encolure des chevaux. Au XIVe siècle, on vit apparaître des colliers qui répartissaient mieux la charge autour du cou de l'animal. Les roues des charrettes étaient cerclées d'une bande métallique garnie de crampons, afin de ne pas déraper dans les virages.

Voiles carrées en nattes de joncs

La plupart des jonques ont trois mâts ; les plus grandes en ont cinq.

Armure légère faite de fines plaques de fer laquées et lacées avec du fil de soie ou du cuir.

MARITIME

Des lattes de bambou permettent de rouler (ferler) la voile en cas de tempête et de la réparer facilement.

Les vergues sont inclinées sur le mât.

Cogge de combat, 1340

Étrave tronquée

1340•
COGGE *Europe*
Le cogge était un navire à un seul mât, haut sur l'eau, employé pour le commerce et la guerre. Ses « gaillards » d'avant et d'arrière, surélevés, étaient des plates-formes de combat. Dotés d'un gouvernail et d'une coque à clins, les solides cogges en chêne s'aventurèrent dans l'Atlantique Nord.

V. L'AN 1000
JONQUE *Chine*
Les jonques, des barques plates, sont apparues en Chine il y a environ 1 000 ans. Assez solides pour naviguer en haute mer, elles étaient utilisées pour le commerce et la guerre. Elles introduisirent une innovation majeure qui allait permettre la construction de bateaux plus grands : le remplacement de l'aviron de gouverne par un gouvernail, beaucoup plus efficace.

Le gouvernail permet de diriger le bateau.

Jonque à cinq mâts

Coque large, à fond plat et sans quille

ÉVÉNEMENTS

1000-1174

•**1000** Les charrettes sont dotées d'un timon pivotant qui permet d'atteler plusieurs chevaux.
•**1002** Naviguant vers l'ouest à partir du Groenland, le Norvégien Leif Ericson est le premier Européen à mettre pied en Amérique du Nord.
•**1010** Un moine anglais, Oliver de Malmesbury, saute d'une tour avec des ailes attachées aux bras et aux jambes. Il ne vole pas, mais se fracture les jambes.

Boussole chinoise

•**1040** Divulgation, en Chine, de la recette de la « poudre noire », ou poudre à canon.
•**1100** Les Incas d'Amérique du Sud construisent 6 400 km de routes. Aucun véhicule à roues ne les emprunte, seulement des hommes et des animaux.
•**1119** Les marins chinois utilisent des boussoles constituées d'une aiguille de fer aimantée flottant sur l'eau.

1175-1349

•**1187** Les marins européens utilisent la boussole.
•**1200** Le gouvernail apparaît sur les bateaux européens. Chinois et Byzantins l'utilisaient depuis longtemps.
•**1250** Dans un de ses livres, le moine anglais Roger Bacon évoque des sphères creuses capables de flotter dans l'air (des ballons) et des machines volantes mécaniques.
•**1250** Des navires à un seul mât, les cogges, apparaissent dans les eaux européennes.
•**1271** À 17 ans, le jeune Marco Polo quitte Venise avec son père et son oncle pour un voyage à travers l'Asie qui durera 24 ans.

Entoilage sur nervures de bois

•**1280** La voile latine méditerranéenne est utilisée sur les navires européens.
•**1290** En Chine, Marco Polo voit des jonques à quatre mâts et des cerfs-volants qui soulèvent des hommes.

1350 1525

Réplique du carrosse de la reine Élisabeth Ire 1560

Cavalier et sa monture équipés de raquettes, v. 1550

V. 1550 RAQUETTES *Scandinavie*
Pour marcher commodément sur la neige, les Scandinaves utilisaient des raquettes, et en mettaient même à leurs chevaux. Assez semblable à une raquette de tennis, cet accessoire répartit le poids sur une plus grande surface et empêche de s'enfoncer dans la neige.

1565·
LITIÈRE *Pérou*
Une litière est un lit couvert, porté par des hommes ou des animaux à l'aide de deux brancards. Il y avait beaucoup de litières au Pérou, où les Incas n'utilisaient pas de véhicules à roues, mais elles furent aussi très utilisées en Europe.

Empereur Inca sur une litière, 1565

1560·
CARROSSE *Angleterre*
En 1560, la reine Élisabeth Ire d'Angleterre acquit un des premiers carrosses, lançant ainsi une véritable mode : tout ce que le royaume comptait de gens importants voulut son propre carrosse. Auparavant, les nobles et les rois voyageaient à bord de mauvaises charrettes sans aucun confort.

Éléphant portant une armure, v. 1600

V. 1600 ÉLÉPHANT DE COMBAT *Inde*
À cause de leur force et de leur taille, les éléphants ont été employés au combat dès l'époque d'Alexandre le Grand, au IVe siècle av. J.-C. Ils terrifiaient les troupes ennemies et piétinaient parfois les fantassins. En Inde, on les couvrait d'armures faites de plaques de métal cousues sur de la toile.

Drapeau royal espagnol

La Santa Maria était une caravelle, un petit navire à trois mâts.

·1511 NAVIRE DE GUERRE *Europe*
L'ère des grandes batailles navales en Europe commença avec la construction de vaisseaux armés de canons, qui seront plus tard appelés « galions ». Ils étaient dotés sur chaque bord de plusieurs rangs de canons passant à travers des sabords, et placés aussi bas que possible afin de ne pas nuire à la stabilité.

Le *Mary Rose*, construit en 1511 pour le roi Henri VIII

V. 1562 GONDOLE *Venise*
Au XVIe siècle, on dénombrait près de 10 000 gondoles sur les canaux de Venise, toutes peintes en noir conformément à une loi promulguée en 1562. Il en reste moins aujourd'hui, mais elles sont toujours gouvernées par un gondolier actionnant un long aviron.

Aviron de poupe

La proue est décorée d'ornements métalliques.

Gondole vénitienne

·1620 SOUS-MARIN *Angleterre*
Cornelius Drebbel, Hollandais travaillant à Londres, fut un des nombreux inventeurs du sous-marin. Son engin, propulsé par douze rameurs alimentés en air frais par des tuyaux émergeant de la surface, remonta la Tamise sur plusieurs kilomètres.

·1492 SANTA MARIA *Espagne*
C'est à bord d'une caravelle de 25 m, la *Santa Maria*, que Christophe Colomb mena son expédition à travers l'Atlantique. Colomb, qui savait que la Terre est ronde, comptait arriver aux Indes en naviguant vers l'ouest. Au terme d'une traversée d'une quarantaine de jours, il aborda en fait un nouveau continent qui sera plus tard baptisé « Amérique ».

Modèle de la *Santa Maria*, 1492

Sous-marin en bois, 1683

Reconstitution de la machine volante de Léonard de Vinci

•**1350-1450** Les « caraques » à trois mâts commencent à remplacer les cogges.
Voir **COGGE 1340.**
•**1400** Certains chariots sont dotés d'une caisse suspendue au châssis par des lanières de cuir.

•**1420** Le prince portugais Henri le Navigateur organise des expéditions sur les côtes d'Afrique.
•**1492** Christophe Colomb accomplit le premier de ses quatre voyages vers l'Amérique centrale.
•**1497-98** Partant du Portugal, Vasco de Gama contourne l'Afrique et arrive en Inde.
•**1505** Léonard de Vinci étudie le vol des oiseaux et dessine une machine volante.
•**1519** Hernando Cortes importe une vingtaine de chevaux d'Espagne en Amérique du Sud.
•**1522** Le *Vittoria* de Fernand de Magellan est le premier navire à effectuer le tour du monde.

•**1538** Les Espagnols utilisent des cloches à plongeurs.
•**1550** Les « galions », vaisseaux utilisés pour la guerre et le commerce, sont communs en Europe.
•**1550** Les riches Européens ont leurs propres véhicules, appelés « coches » d'après la ville hongroise de Kocs.
•**1600** Construction d'un réseau routier en France. En 1664, le réseau sera assez étendu pour que se mette en place un service de diligences.
•**1600** 600 voitures à chevaux sont disponibles en location, à Londres, et 300 à Paris.

•**1640** Les chaises à porteurs sillonnent les rues des grandes villes européennes.
•**1650** À Nuremberg, en Allemagne, un handicapé se déplace sur un fauteuil roulant à trois roues actionnées à la main par des « pédales ».
•**1662** Un service d'omnibus à chevaux, avec itinéraires fixes, est mis en place à Paris.
•**1675** Construction près de Londres de l'observatoire de Greenwich.

1700

1720

1700 1704   1716   1720   1724

Wagonnet de charbon

TERRESTRE

V. 1700 CAVALERIE
Nigeria
En Afrique tropicale, la quasi-totalité des voyages se faisaient en pirogue. Il était en effet impossible d'utiliser des chevaux, qui succombaient à la maladie du sommeil propagée par les mouches tsé-tsé. Ce guerrier à cheval, qui faisait partie de la cavalerie du roi du Bénin, venait d'une partie du Nigeria où ce fléau ne sévissait pas.

Guerrier à cheval, bronze, v. 1700

V. 1700 FOURGON À CHEVAUX *Angleterre*
D'énormes fourgons tirés par dix ou douze chevaux, portant plusieurs tonnes de marchandises et quelques passagers, assuraient un service régulier à longue distance. Dotés de roues très larges pour ne pas s'enfoncer dans la boue des chemins, ces mastodontes parcouraient, par beau temps, jusqu'à 32 km par jour. Le cocher marchait à côté de l'attelage.

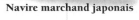

Fourgon à chevaux

V. 1720 CHAISE À PORTEURS *Europe*
Pour échapper aux embouteillages et pouvoir emprunter les rues étroites, les personnes qui en avaient les moyens utilisaient des chaises à porteurs plutôt que des voitures à chevaux. Souvent luxueuses et très décorées, ces chaises étaient parfois utilisées pour de plus longs voyages.

Cadre de bois

Chaise à porteurs, v. 1720

Cuir décoré de perles

Porte-bébé, Amérique du Nord, v. 1850

V. 1730 WAGONNET *Europe*
Les premiers « chemins de fer » furent des planches de bois ou des plaques de métal posées sur le sol, sur lesquelles roulaient des wagonnets tirés par des chevaux. On voit ici un wagonnet rempli de charbon descendre une pente. Le conducteur, assis sur le frein, tient à la longe le cheval qui lui permettra de remonter la côte.

•1735 TRANSPORTS D'ENFANTS
Afin de promener ses enfants, le duc de Devonshire fit construire une petite voiture qui pouvait être tirée par un poney, un chien ou une chèvre. Ce véhicule est l'ancêtre de la voiture d'enfants, mais jusque-là, et depuis l'aube des temps, les bébés ont toujours été portés sur le dos de leur mère dans des sacs en peaux d'animaux. Celui-ci, en peau de bison, pouvait être attaché à un travois. *Voir* TRAVOIS, v. 1880.

La voiture d'enfants du duc de Devonshire

MARITIME

Voile carrée unique

Mât de perroquet

Grand mât

étai

Haubans et enfléchures

Mât de misaine

Mât d'artimon

V. 1700 NAVIRE MARCHAND *Japon*
De 1639 à 1858, le gouvernement japonais tenta d'isoler le pays de toute influence étrangère. Il devint interdit de voyager dans un autre pays, et la taille des bateaux fut limitée afin d'empêcher les voyages océaniques. Le navire ci-dessus est doté d'une voile carrée et son gouvernail peut être soulevé lorsque le bateau est à l'ancre. Des navires semblables étaient encore construits au début du XXᵉ siècle.

Navire marchand japonais

•1733 NAVIRE DE COMBAT *Europe*
Au XVIIIᵉ siècle, le galion devint une véritable forteresse flottante dont le déplacement atteignait 3 000 tonnes, pouvant porter 100 canons et un équipage de 850 hommes. Avec leur grande surface de voilure et leur gréement sophistiqué, ces vaisseaux étaient rapides et manœuvrants. En Méditerranée, on trouvait encore des galères semblables à celles de la Grèce antique. Grâce à leurs rameurs, elles pouvaient attaquer les grands voiliers encalminés (arrêtés par manque de vent). *Voir* NAVIRE DE GUERRE, 1511.

Beaupré

Vaisseau de quatrième rang, 1733-1850

Galère maltaise, v. 1770

ÉVÉNEMENTS

1700-1739

•**1700** Les navires de la Compagnie des Indes orientales rapportent en Europe des cargaisons d'ivoire, d'épices et de soie.
•**1710** La barre à roue, reliée au gouvernail par des palans, équipe désormais les grands navires.
•**1712** La première machine à vapeur, conçue par Thomas Newcomen, fonctionne en Angleterre. On ne l'utilise que pour pomper l'eau des mines mais elle va bientôt, après les perfectionnements apportés par Watt, révolutionner les transports.

Un vaisseau de quatrième rang était armé de 50 à 70 canons qui projetaient des boulets de fer.

•**1714** Le gouvernement britannique offre un prix de 20 000 livres à qui construira un chronomètre de marine exact. C'est John Harrison qui remportera le prix en 1759.
•**1716** Les Français mettent en service les premières routes nationales. L'astronome anglais Edmond Halley perfectionne la cloche à plongeurs en la dotant d'un système de renouvellement de l'air.

Le chronomètre n° 4 de John Harrison, 1759

Le cabestan, un grand treuil, était utilisé pour hisser les voiles ou lever l'ancre.

• **v. 1730** En Europe, les roues de bois des véhicules sur rails sont remplacées par des roues en fonte. Les premiers trains auront des roues métalliques.
•**1731** À Philadelphie, les pompiers utilisent des pompes à main montées sur roues. On luttait jusque-là contre l'incendie avec des seaux d'eau…

•**1731** L'Anglais John Hadley invente l'octant, qui permet de calculer la latitude en mesurant la hauteur des étoiles ou du Soleil au-dessus de l'horizon.
•**1732** Le premier bateau-feu est ancré près de l'embouchure de la Tamise. Il remplace avantageusement le phare qui ne peut être édifié dans cette région. *Voir* BATEAU-FEU, 1963.
•**1735** L'ingénieur suisse Charles Dangeau de Labelye invente le caisson pneumatique qui permet de travailler au sec au fond d'une rivière pour construire les fondations d'un pont.

1740   1760

1740	1744	1748	1752	1756	1760	1764	1768	1772

V. 1740 CHAISE DE POSTE *France*

Les chaises de poste apparurent en France autour de 1660, et furent introduites en Angleterre en 1743. Plus rapides et plus confortables que les diligences, elles étaient aussi plus chères. En changeant de chevaux aux relais placés le long de la route, une chaise de poste pouvait parcourir jusqu'à 80 km par jour. Le « postillon » qui menait l'attelage montait un des chevaux.

Chaise de poste arrêtée à un relais, v. 1780

V. 1760 PATINS À ROULETTES
Europe

En 1760, un musicien belge, Joseph Merlin, fit sensation en faisant irruption dans un bal londonien, avec son violon, sur des patins à roulettes. Incapable de s'arrêter, il entra en collision avec un miroir coûtant 500 livres. Les patins de Merlin n'étaient pas les premiers ; il semble qu'ils aient été inventés en Hollande au début du XVIIIᵉ siècle, sous la forme de planchettes à roulettes avec lesquelles il était très difficile de tourner.

Patins à roulettes hollandais, 1790

La vapeur est produite par chauffage de l'eau dans cette chaudière en cuivre.

Conduit de vapeur

La vapeur actionne les pistons dans ces deux cylindres en bronze.

Guidon de direction

Les roues arrière et la roue avant étaient cerclées de fer.

Cheminée

Pédale de frein

Le fardier de Cugnot, 1769

Siège

•1769
FARDIER À VAPEUR *France*

Les premiers véhicules à vapeur apparurent à la fin du XVIIIᵉ siècle. Le premier à fonctionner fut le fardier (destiné à tirer des canons) de l'ingénieur militaire Nicolas Cugnot. Il avait trois roues et était réellement « auto-mobile », c'est-à-dire capable de se déplacer seul. En 1770, il atteignit la vitesse de 5 km/h en tirant un canon de 3 tonnes. À cause de problèmes de freinage, il rentra dans un mur et ne fut plus jamais utilisé.

Fourche maintenant la chaudière (dont le poids rend le véhicule instable)

Panier à bois

Les pistons actionnent l'unique roue avant

V. 1750
NAVIRE MARCHAND *Europe*

Au milieu du XVIIIᵉ siècle, les navires marchands assuraient le transport des hommes et des marchandises sur toutes les mers du globe. La cargaison était chargée au moyen des vergues qui faisaient office de grues. Elle était soigneusement arrimée, afin qu'elle ne se déplace pas en cas de gros temps, ce qui aurait pu menacer l'équilibre du navire.

La vergue est utilisée comme grue de chargement

V. 1770
CANOË D'ÉCORCE
Australie

L'écorce, de bouleau ou d'eucalyptus, est utilisée depuis les temps les plus reculés pour faire des canoës. Une grande bande d'écorce, nouée aux extrémités, prend naturellement la forme d'une pirogue. Un canoë d'écorce est rapide, solide, et assez léger pour être porté le long des rapides.

Canoë aborigène en écorce d'eucalyptus, Australie, peinture de 1770

Cheval soulevé au moyen d'un harnais

Section d'un navire marchand du XVIIIᵉ siècle

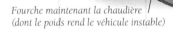

Péniche tirée par un cheval

V. 1760
PÉNICHE *Europe*

Avec l'industrialisation des pays européens, le trafic fluvial s'accrut et de nouveaux canaux furent creusés. Le transport fluvial au moyen de péniches halées par des chevaux est une façon efficace, sinon rapide, de transporter de lourdes charges telles du charbon, des céréales ou des poteries.

1776•
SOUS-MARIN *États-Unis*

Le premier sous-marin à usage militaire, conçu par l'Américain David Bushnell, était baptisé *The Turtle* (*La Tortue*). L'unique occupant manœuvrait l'engin grâce à deux hélices actionnées à la main. La plongée ou la remontée s'effectuaient en pompant ou en refoulant l'eau des ballasts. Au large de New York, *La Tortue* tenta, sans succès, de poser des mines sur le vaisseau de guerre britannique *Eagle*.

Modèle de *La Tortue*, 1776

1740-1759		1760-1779	

•**1747** Naissance, en France, de l'École nationale des ponts et chaussées.
•**1748** L'ingénieur français Jacques Vaucanson fait la démonstration, devant le roi de France, d'un chariot mû par un mouvement d'horlogerie.
•**1750** La plupart des routes anglaises sont à péage, l'argent récolté permettant de les entretenir. Aux États-Unis, la première route à péage sera ouverte en Virginie en 1785.
•**1750** En Angleterre, James Heath construit un fauteuil roulant pour handicapés. C'est un tricycle poussé par un assistant.

•**1756** Apparition des services de diligences en Amérique du Nord.
•**1757** Un marin anglais, John Campbell, invente le sextant, instrument plus pratique que l'octant. *Voir* ÉVÉNEMENTS, **1731.**
•**1759** John Smeaton fait construire un phare sur les dangereux rochers d'Eddystone, dans la Manche. On utilise à cette occasion du ciment à prise rapide et des pierres taillées en « queue d'aronde » s'imbriquant les unes dans les autres comme les pièces d'un puzzle.

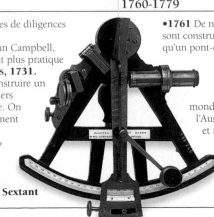

Sextant

•**1761** De nombreux canaux sont construits en Angleterre, ainsi qu'un pont-canal.
•**1768** à bord de son navire l'*Endeavour*, le capitaine James Cook appareille pour le premier de ses trois voyages autour du monde. Il va explorer le Pacifique, l'Australie, la Nouvelle-Zélande, et reconnaître l'Antarctique.
•**1769** En France, le fardier à vapeur de Nicolas Cugnot est le premier véhicule automobile.
•**1769** L'Écossais James

Watt dépose le brevet d'une machine à vapeur six fois plus efficace que celle de Thomas Newcomen (*voir* ÉVÉNEMENTS, **1712**). La machine « rotative » de Watt sera brevetée en 1782.
•**1776** Le sous-marin *La Tortue* de David Bushnell prend part à la guerre d'Indépendance américaine.
•**1779** L'ingénieur anglais Abraham Darby construit le premier pont en fer à Coalbrookdale, sur la rivière Severn.
•**1779** Le capitaine Cook voit les Hawaiiens pratiquer le surf, qui est un sport rituel.

1780-1879 À toute vapeur

QUELLE VITESSE MAXIMALE peut supporter le corps humain ? Telle était la grande question lorsque apparurent les premiers trains à vapeur : à une telle vitesse (80 km/h environ dans les années 1850), serait-il encore possible de respirer et de résister aux vibrations ? La réponse fut vite apportée par les passagers : ils adoraient ce nouveau moyen de transport, confortable, fonctionnant par tous les temps et, qui plus est, bon marché, ce qui permit à nombre de gens de faire leur premier voyage. Le chemin de fer a aboli les distances, mettant à quelques heures de train des lieux qu'il fallait jusque-là des jours pour atteindre. Il a aussi modifié le temps : alors que chaque ville avait à l'époque sa propre heure locale, toutes durent se mettre à l'« heure du chemin de fer » afin d'harmoniser les horaires.

Wagon hippomobile, Allemagne, fin du XVIIIe siècle

L'ÈRE DES CHEMINS DE FER

Avant l'invention de la machine à vapeur, les lourdes charges étaient placées dans des wagons roulant sur des rails de bois, et tirées par des hommes ou des chevaux. Les locomotives à vapeur étaient bien plus puissantes et, grâce à des rails en fer, plus rapides. Après leur apparition autour de 1800, les chemins de fer se répandirent rapidement et eurent un impact considérable sur la vie des campagnes.

La « Catch Me Who Can » (« M'attrape qui peut ») de Richard Trevithick, 1808

L'ère de la vapeur

C'est l'invention de la machine à vapeur qui est à l'origine de ce nouveau moyen de transport. Alimentées au charbon ou au bois, les premières machines à vapeur étaient des monstres fumants qui oscillaient au rythme de leurs pistons. Autour de 1800, Richard Trevithick en Angleterre et Oliver Evans aux États-Unis fabriquèrent des machines à haute pression assez petites pour être montées sur

Sifflet

Abri

Tender à charbon

UN MONDE EN MUTATION : 1780-1879

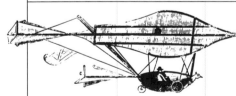

Le planeur de Cayley, 1853

SCIENCE ET TRANSPORTS

En 1840, on commença à désigner sous le terme de « scientifiques » ceux qui faisaient des expériences afin de comprendre les lois de la nature, et les découvertes scientifiques jouèrent un grand rôle dans le développement des transports. Les physiciens Michael Faraday, en Angleterre, et Joseph Henry, aux États-Unis, par exemple, montrèrent comment l'électricité pouvait faire tourner les moteurs qui équiperont plus tard les trains et les tramways. Dès 1809, l'inventeur anglais George Cayley démontra la possibilité de faire voler un engin plus lourd que l'air.

L'EXPANSION DES VILLES

Au XIXe siècle, l'industrialisation provoqua un exode massif des campagnes vers les villes. Certaines agglomérations dépassèrent alors le million d'habitants et comme leurs banlieues étaient souvent très éloignées, il fallut concevoir de nouveaux moyens de transport. Aux voitures et tramways tirés par des chevaux succédèrent des tramways électriques et des chemins de fer souterrains ou aériens.

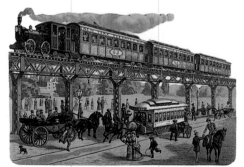

Chemin de fer aérien à New York, fin du XIXe siècle

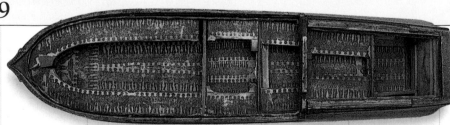

Le vaisseau négrier *Brookes*, modèle utilisé lors des campagnes anti-esclavagistes, v. 1790

NOUVELLES INVENTIONS

Le XIXe siècle fut une époque de grandes innovations technologiques. Des inventeurs conçurent des machines pour accélérer les transports ou mécaniser les usines. D'autres mirent leurs idées en pratique, construisant des véhicules à vapeur ou de curieuses bicyclettes. Beaucoup de ces inventions furent des échecs – mais pas toutes. L'ascenseur, par exemple, se trouve aujourd'hui dans beaucoup d'immeubles.

Ascenseur Otis

VOYAGES FORCÉS

Au XIXe siècle, beaucoup d'hommes voyagèrent contre leur gré. Les bagnards anglais furent envoyés en Australie et les français en Amérique du Sud. Surtout, les négriers européens convoyèrent près de 10 millions d'esclaves d'Afrique en Amérique, pratiquant un odieux commerce qui dura 300 ans. Plusieurs centaines d'esclaves étaient enchaînés, dans des conditions affligeantes, dans les cales des navires négriers. Beaucoup mouraient pendant la traversée.

roues, et assez puissantes pour assurer leur propre propulsion. Posées sur des rails, ces « locomotives » supplantèrent bientôt les diligences à chevaux. Certains inventeurs tentèrent de fabriquer des chariots à vapeur, mais ces lourds véhicules n'étaient guère maniables sur les mauvaises routes d'alors, et connurent de nombreux accidents. Sur l'eau, les machines à vapeur commencèrent à faire tourner des roues à aubes, puis des hélices, sans porter pour autant un coup fatal à la marine à voile. De superbes grands voiliers continuèrent à sillonner les océans tout au long du XIXe siècle.

Une nouvelle dimension

L'apparition du ballon à air chaud causa un émerveillement comparable. Des foules enthousiastes assistèrent, dès les années 1780, à l'envol des premiers aéronautes dans des ballons à air chaud ou à hydrogène. Incontrôlables et à la merci du vent, ces engins ne devinrent cependant jamais des moyens de transport. Les multiples tentatives pour faire voler un « plus lourd que l'air » se révélèrent infructueuses, la machine à vapeur étant trop lourde pour propulser un avion. Ce n'est qu'avec l'apparition du moteur à explosion, en 1880, que l'aviation pourra prendre son essor.

Locomotive américaine, 1875

Dôme de prise de vapeur

Cloche

Pare-bœufs (pour repousser les animaux se trouvant sur la voie)

LES TECHNOLOGIES

FLOTTER DANS L'AIR
Comme des poissons dans l'eau, les ballons flottent dans l'air sous l'effet de la poussée d'Archimède, qui est égale et opposée à leur poids. L'air chaud qui remplit l'intérieur du ballon est en effet moins dense que l'air environnant : il subit donc une poussée, comme une bulle d'air dans de l'eau. Il suffit de chauffer davantage l'air de l'enveloppe, ou de lâcher du lest, pour s'élever, et de le laisser refroidir pour redescendre.

Le ballon à air chaud *Flesselles* des frères Montgolfier, 1784

VAPEUR À HAUTE PRESSION
Le charbon est un combustible fossile : l'énergie qu'il contient est stockée depuis des millions d'années. Libérée lorsque le charbon brûle dans le foyer d'une chaudière, elle change l'eau en vapeur sous pression. Cette vapeur est alors dirigée vers un cylindre où elle repousse un piston – exactement comme une pompe à vélo marchant à l'envers. Le mouvement du piston peut être transmis à l'hélice d'un navire, aux roues d'une locomotive ou aux machines d'une usine.

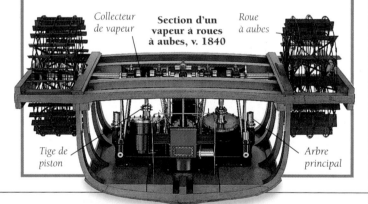

Collecteur de vapeur — **Section d'un vapeur à roues à aubes, v. 1840** — *Roue à aubes*

Tige de piston

Arbre principal

PROUESSES
Le travail des ingénieurs permit l'expansion des routes, des chemins de fer et des canaux. Grâce à de nouveaux matériaux et à des techniques de construction originales, ils firent passer des routes dans des régions accidentées, construisirent des ponts à longue portée et des tunnels de plusieurs kilomètres. Les ingénieurs devinrent de véritables héros, mais il n'était pas rare de voir un pont s'effondrer… ou une compagnie de transport faire faillite.

Pionniers américains dans un « schooner des prairies », 1859

Train sortant d'un tunnel, Angleterre, fin du XIXe siècle

MIGRATIONS
À une époque où la plupart des gens n'avaient jamais voyagé à plus de quelques kilomètres de chez eux, 10 millions d'Européens traversèrent l'Atlantique pour s'installer en Amérique du Nord, et 10 autres millions allèrent en Australie ou en Amérique du Sud. Poussés par la pauvreté et la surpopulation en Europe, ils s'entassaient dans des navires inconfortables dans l'espoir de refaire leur vie ailleurs. Aux États-Unis, les pionniers durent traverser le pays avant de trouver un endroit propice.

FER ET ACIER
Une nouvelle façon d'obtenir du fer – à partir de coke au lieu de charbon – fut décisive pour l'industrialisation de l'Europe et de l'Amérique du Nord. Utilisé jusque-là pour faire les cylindres des machines à vapeur et les rails, le fer fut vite remplacé par l'acier, plus résistant. Outils, bateaux, véhicules et ouvrages d'art furent construits en acier.

Le pont en fer de Coalbrookdale, Angleterre, v. 1790

Tricycle d'enfant, XIXe siècle

VOYAGES D'AGRÉMENT
Le développement des transports offrit la possibilité de voyager pour son plaisir. Les compagnies de chemins de fer organisaient des excursions au bord de la mer et des millions de personnes firent des croisières sur des bateaux à roues. Mais c'est la bicyclette qui constitua le premier moyen de transport accessible à tous. C'est le moyen de transport idéal pour se promener tout en entretenant sa forme physique.

1780

1790

| 1780 | 1782 | 1784 | 1790 | 1792 | 1794 | 1796 | 1798 |

AÉRIEN

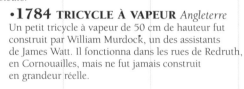

•1783 MONTGOLFIÈRE *France*

Le 21 novembre 1783, les frères Montgolfier inaugurent l'ère du transport aérien en faisant décoller un ballon à air chaud. Les deux passagers, Pilâtre de Rozier et le marquis d'Arlandes, effectuent un vol de 9 km et de 25 minutes au-dessus de Paris à bord de leur « montgolfière » en papier et coton.

Montgolfière, 1783

Le parachute de Garnerin, 1797

•1797 DESCENTE EN PARACHUTE *France*

Le 22 octobre 1797, l'intrépide André-Jacques Garnerin, dans la nacelle du premier parachute, se fit emporter à 700 m d'altitude au-dessus de Paris par un ballon à hydrogène, puis coupa les amarres. Son parachute de toile, de 12 m de diamètre, s'ouvrit correctement mais prit un violent mouvement pendulaire lors de la descente. Garnerin atterrit un peu malade, mais indemne. Il apparaîtra plus tard qu'un trou central percé dans le parachute évite le mouvement pendulaire.

TERRESTRE

Malle-poste, 1784

1784• MALLE-POSTE *Europe*

Alors que le courrier était jusque-là convoyé à cheval, l'arrivée des malle-poste améliora beaucoup sa distribution. Plus rapides que les diligences, les malles-poste étaient aussi plus sûres : un homme en armes prenait place à côté du cocher afin de dissuader les voleurs.

v. 1790 DILIGENCE *Europe*

Des diligences peintes de couleurs vives assuraient le service régulier entre les grandes villes, mais leurs passagers étaient souvent incommodés par les cahots de la route. Certains passagers voyageaient à l'extérieur, ce qui était à la fois inconfortable en hiver, dangereux en cas d'accident et néfaste pour la stabilité du véhicule.

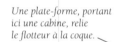

Chargement d'une diligence

Le tricycle à vapeur de Murdock

•1784 TRICYCLE À VAPEUR *Angleterre*

Un petit tricycle à vapeur de 50 cm de hauteur fut construit par William Murdock, un des assistants de James Watt. Il fonctionna dans les rues de Redruth, en Cornouailles, mais ne fut jamais construit en grandeur réelle.

La chaudière produit de la vapeur.

Une plate-forme, portant ici une cabine, relie le flotteur à la coque.

MARITIME

Le flotteur assure la stabilité du prao.

•1786 NAVIRE À VAPEUR *États-Unis*

C'est l'inventeur américain John Fitch qui a construit les premiers bateaux à vapeur efficaces. L'un d'eux était propulsé par douze rames actionnées par la machine à vapeur. Un service de passagers fut ensuite mis en place, pendant quelques mois, entre la Pennsylvanie et le New Jersey sur la rivière Delaware. Fitch essaya aussi un bateau à hélice.

Navire à vapeur de Fitch sur la Delaware, 1786

Prao volant, îles Salomon

V. 1790 PRAO VOLANT *Îles du Pacifique*

Les Polynésiens firent de grandes traversées sur de simples pirogues à voile. Pour en améliorer la stabilité, ils leur adjoignirent des balanciers. Les praos des îles Salomon sont dits « volants » car ils atteignent une vitesse de 20 nœuds (36 km/h).

La plate-forme au vent permet à l'équipage de pratiquer le rappel.

Les praos sont symétriques et ne naviguent que sur un seul bord. Pour virer de bord, la voile est placée à l'autre extrémité de la coque.

| 1780-1789 | | 1790-1799 | |

ÉVÉNEMENTS

• **v. 1780** On double les coques des navires avec des plaques de cuivre pour les protéger des algues et des coquillages.
•**1783** Le 21 novembre, le ballon à air chaud des frères Montgolfier réalise son premier vol avec deux personnes à bord. Le 1er décembre, deux autres Français, Charles et Robert, effectuent une ascension dans un ballon à hydrogène.
•**1783** Le Français Sébastien Lenormand saute d'une tour en parachute.
•**1783** Le marquis Jouffroy d'Abbans fait fonctionner un bateau à vapeur à roues à aubes.

•**1784** Le premier service régulier de poste est mis en service entre Londres et Bath. Ses véhicules sont exemptés de péage.

Éventail commémorant le premier vol en ballon de Charles, 1783

•**1790** Les vaisseaux de la Compagnie des Indes orientales, qui assurent le commerce avec l'Extrême-Orient, sont de plus en plus gros. L'un d'eux, l'*Essex*, porte 63 voiles différentes.
•**1792** Un chirurgien de l'armée de Napoléon invente la première ambulance : une charrette dotée d'une suspension.
•**1794** L'Anglais Philip Vaughan dépose le brevet d'un roulement à billes qui jouera un grand rôle dans le développement, entre autres, de la bicyclette.
•**1796** La *Constitution*

et le *President*, les plus grands navires de guerre en bois de l'époque, sont lancés aux États-Unis.
•**1797** Richard Trevithick en Angleterre et Oliver Evans aux États-Unis développent des chaudières à haute pression qui seront décisives pour le développement des chemins de fer.
•**1797** à Paris, Jacques Garnerin effectue le premier saut en parachute depuis un ballon.
•**1799** L'Anglais Sir George Cayley conçoit le premier aéroplane. Il a une aile fixe, un empennage séparé et des gouvernes de direction et de profondeur.

1800

1810

1800		1804	1806	1808	1810	1812

1809•
« ORNITHOPTÈRE » *Autriche*
Les hommes tentent depuis toujours d'imiter – sans succès – le vol des oiseaux. Certains ont sauté d'une tour avec des ailes articulées, d'autres ont essayé de décoller en courant. On utilisa aussi des « ornithoptères » mécaniques, comme celui de l'inventeur suisse vivant à Vienne, Jacob Degen. S'il décolla, c'est parce qu'il était attaché à un ballon à hydrogène.

L'« ornithoptère » de Degen, 1809

Voile faite de fibres végétales.

L'engin était si bruyant et faisait tant de fumée qu'il y eut des plaintes.

Tige de piston

La chute mortelle de Mᵐᵉ Blanchard

Chaudière

Wagon de charbon

•1819
ACCIDENT DE BALLON
France
Devant une foule considérable la première femme aéronaute, Marie-Madeleine Blanchard, donna un spectacle de feu d'artifice à bord de son ballon à hydrogène. On la vit monter dans une « pluie dorée » d'étincelles et de flammes, mais l'hydrogène du ballon prit feu et Mᵐᵉ Blanchard fut précipitée dans le vide.

La vapeur produite par la chaudière met en mouvement les pistons qui entraînent les roues.

•1805
VÉHICULE À VAPEUR *États-Unis*
Un ingénieur américain, Oliver Evans, monta une machine à vapeur sur une barque à fond plat pour l'utiliser comme drague sur la rivière Schuylkill. Pour atteindre la rivière, il lui adapta des roues mises en mouvement par la machine. Il parcourut ainsi 2 km dans les rues de Philadelphie, ce qui fait de ce curieux engin amphibie la première automobile des États-Unis.

La forme de la voile, en « pince de homard », lui permet de rester plate par vent fort.

La machine d'Oliver Evans, 1805

La locomotive de Hedley et ses wagons ont des roues dotées d'un « boudin » interne.

La Puffing Billy, 1813

•1813
PUFFING BILLY *Angleterre*
Certains constructeurs de machines à vapeur pensaient qu'une locomotive ne pourrait tirer un long convoi car ses roues patineraient sur la voie. William Hedley, qui exploitait un chemin de fer hippomobile dans le nord de l'Angleterre, leur prouva le contraire en construisant une locomotive, la *Puffing Billy*, qui pouvait tirer des wagons de charbon de 50 tonnes.

•1817 DRAISIENNE
Allemagne
La draisienne, inventée par le baron allemand Karl von Drais, est un lointain ancêtre de la bicyclette. Sans pédales ni frein, elle était propulsée avec les jambes, le conducteur étant penché en avant, la poitrine appuyée sur un support spécial. On pouvait paraît-il atteindre la vitesse de 15 km/h.

Draisienne, v. 1820

Le lougre doit son nom à ses voiles au tiers (« lugsail » en anglais).

Les roues à aubes étaient posées sur le pont lorsque le navire marchait à la voile.

•1800 LOUGRE *Europe*
Une grande variété de caboteurs (petits navires marchands) et de bateaux de pêche naviguait le long des côtes européennes. Chacun était adapté à une tâche spécifique. Les contrebandiers appréciaient particulièrement le lougre, très maniable et capable d'aborder des côtes dépourvues de ports.

Lougre français, v. 1800

Le Savannah, 1819

1819•
SAVANNAH *États-Unis*
Le *Savannah* était un navire mixte, à voile et à vapeur, doté de roues à aubes amovibles. En 1819, il fut le premier vapeur à traverser l'Atlantique – mais ce fut essentiellement à la voile, les roues à aubes n'étant utilisées qu'en cas de calme plat.

1800-1809			1810-1819	

• **v. 1800** En Europe, chacun se doit de posséder une voiture à chevaux. Les routes s'améliorent sans cesse, mais sont de plus en plus encombrées.
• **1801** Richard Trevithick, sur son chariot à vapeur, atteint la vitesse de 13 km/h. Son engin finira par prendre feu.
• **1803** Le premier chemin de fer du monde ouvre près de Londres. Ses wagons tirés par des chevaux ne transportent que des marchandises. Le premier train de voyageurs, toujours tiré par des chevaux, apparaîtra au pays de Galles quelques années plus tard.

• **1803** Richard Trevithick construit la première locomotive à vapeur.
• **1804** L'Anglais Obadiah Elliot invente la suspension à ressort qui sera plus tard utilisée pour les voitures.
• **1806** Les militaires anglais utilisent des fusées incendiaires lors des batailles. Ils en tirent 2 000 sur les Français en 30 minutes.
• **1807** Le *Clermont*, navire à vapeur de Robert Fulton, est mis en service sur la rivière Hudson, aux États-Unis.

Fusées offensives, 1806

• **1812** Mise en service de bateaux à vapeur sur le Mississippi.
• **1813** William Hedley montre que les locomotives à roues métalliques peuvent tirer des trains sans glisser sur les rails.
• **1816-20** L'Écossais John McAdam développe un nouveau procédé de construction des routes. Avec son fils, il construira 3 200 km de route en Grande-Bretagne, et sa méthode sera imitée partout dans le monde.

• **1817** En Allemagne, le baron von Drais roule sur sa « draisienne ».
• **1818** Le gouvernement américain fait construire dans le Maryland et en Virginie une route baptisée « National Pike », qui est la première autoroute (à péage) américaine.
• **1818** Marc Isambard Brunel invente une machine à percer les tunnels.
• **1819** Le savant danois Œrsted découvre un lien entre l'électricité et le magnétisme. En 1821, Michael Faraday utilisera cette découverte pour construire le premier moteur électrique.
Voir ÉVÉNEMENTS, 1831.

1820

1825

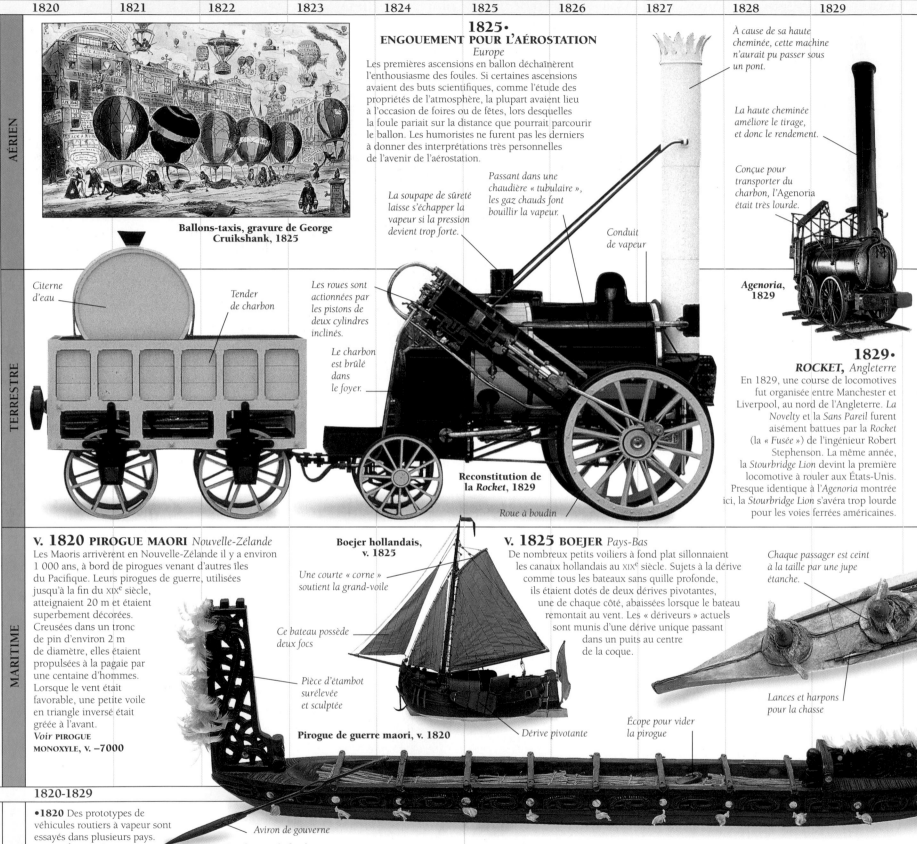

| | 1820 | 1821 | 1822 | 1823 | 1824 | 1825 | 1826 | 1827 | 1828 | 1829 |

AÉRIEN

1825·
ENGOUEMENT POUR L'AÉROSTATION
Europe

Les premières ascensions en ballon déchaînèrent l'enthousiasme des foules. Si certaines ascensions avaient des buts scientifiques, comme l'étude des propriétés de l'atmosphère, la plupart avaient lieu à l'occasion de foires ou de fêtes, lors desquelles la foule pariait sur la distance que pourrait parcourir le ballon. Les humoristes ne furent pas les derniers à donner des interprétations très personnelles de l'avenir de l'aérostation.

Ballons-taxis, gravure de George Cruikshank, 1825

À cause de sa haute cheminée, cette machine n'aurait pu passer sous un pont.

La haute cheminée améliore le tirage, et donc le rendement.

Conçue pour transporter du charbon, l'Agenoria était très lourde.

TERRESTRE

Citerne d'eau

Tender de charbon

Passant dans une chaudière « tubulaire », les gaz chauds font bouillir la vapeur.

La soupape de sûreté laisse s'échapper la vapeur si la pression devient trop forte.

Les roues sont actionnées par les pistons de deux cylindres inclinés.

Le charbon est brûlé dans le foyer.

Conduit de vapeur

Reconstitution de la *Rocket*, 1829

Roue à boudin

Agenoria, 1829

1829·
ROCKET, *Angleterre*

En 1829, une course de locomotives fut organisée entre Manchester et Liverpool, au nord de l'Angleterre. *La Novelty* et la *Sans Pareil* furent aisément battues par la *Rocket* (la « Fusée ») de l'ingénieur Robert Stephenson. La même année, la *Stourbridge Lion* devint la première locomotive à rouler aux États-Unis. Presque identique à l'*Agenoria* montrée ici, la *Stourbridge Lion* s'avéra trop lourde pour les voies ferrées américaines.

MARITIME

V. 1820 PIROGUE MAORI *Nouvelle-Zélande*

Les Maoris arrivèrent en Nouvelle-Zélande il y a environ 1 000 ans, à bord de pirogues venant d'autres îles du Pacifique. Leurs pirogues de guerre, utilisées jusqu'à la fin du XIXe siècle, atteignaient 20 m et étaient superbement décorées. Creusées dans un tronc de pin d'environ 2 m de diamètre, elles étaient propulsées à la pagaie par une centaine d'hommes. Lorsque le vent était favorable, une petite voile en triangle inversé était gréée à l'avant.
Voir **PIROGUE MONOXYLE, V. −7000**

Boejer hollandais, v. 1825

Une courte « corne » soutient la grand-voile

Ce bateau possède deux focs

Pièce d'étambot surélevée et sculptée

Pirogue de guerre maori, v. 1820

Dérive pivotante

V. 1825 BOEJER *Pays-Bas*

De nombreux petits voiliers à fond plat sillonnaient les canaux hollandais au XIXe siècle. Sujets à la dérive comme tous les bateaux sans quille profonde, ils étaient dotés de deux dérives pivotantes, une de chaque côté, abaissées lorsque le bateau remontait au vent. Les « dériveurs » actuels sont munis d'une dérive unique passant dans un puits au centre de la coque.

Chaque passager est ceint à la taille par une jupe étanche.

Lances et harpons pour la chasse

Écope pour vider la pirogue

Aviron de gouverne

ÉVÉNEMENTS

1820-1829

•**1820** Des prototypes de véhicules routiers à vapeur sont essayés dans plusieurs pays.
•**1820** À cette date, l'ingénieur Thomas Telford a construit 1 500 km de routes et 1 117 ponts.
•**1820** En Angleterre, Charles Green fait la première ascension dans un ballon gonflé au gaz d'éclairage.
•**1821** L'ingénieur français Marc Seguin construit le premier pont suspendu à câbles métalliques.

•**1825** Le chemin de fer de Stockton à Darlington est mis en service en Angleterre. Le train roule sur des rails en fer et traverse le premier pont en fer jamais construit.
•**1825** La chaudière tubulaire inventée par Marc Seguin améliore le rendement des locomotives.
•**1825** Inauguration du canal de l'Érié (590 km de long) qui relie l'Atlantique aux grands lacs américains.

Le canal de l'Érié

•**1826** à Nantes, Baudry inaugure un service de diligences qu'il nomme « omnibus ».
•**1827** Le Français Onésiphore Pecqueur invente le « différentiel ». Ce système d'engrenages, qui permet aux roues d'un véhicule de tourner à des vitesses différentes dans les virages, sera plus tard utilisé dans les automobiles.

•**1828** Apparition du tourisme : en Allemagne est publié le premier guide Baedecker intitulé *Le Rhin de Mayence à Cologne*.
•**1829** La course de locomotives organisée à Rainhill en Angleterre est gagnée par la *Rocket* de Robert Stephenson.
•**1829** La *Stourbridge Lion*, locomotive de construction anglaise est utilisée – sans grand succès – aux États-Unis.

1830

1835

| 1830 | 1831 | 1832 | 1833 | 1834 | 1835 | 1836 | 1837 | 1838 | 1839 |

Dirigeable Sanson, 1839

À bord du *Royal Vauxhall*, 1836

1836•
RECORD DE DISTANCE *Angleterre*
Le plus grand ballon de l'aéronaute anglais Charles Green fut le *Royal Vauxhall*. Son enveloppe de soie de 25 m de hauteur était gonflée au gaz d'éclairage (méthane). Le 7 novembre 1836, Green et deux passagers décollèrent de Londres et atterrirent 770 km plus loin en Allemagne, près de Weiburg dans le duché de Nassau.

1839•
DIRIGEABLE *France*
Le ballon n'est devenu un moyen de transport que lorsqu'il a été possible de le diriger et de le propulser. Une première étape a consisté à modifier la forme de l'enveloppe afin qu'elle pénètre mieux dans l'air, puis il a fallu imaginer des modes de propulsion – hélices actionnées par les passagers ou jet d'air chaud dirigé vers l'arrière. Le dirigeable des Sanson père et fils était muni de roues à aubes et d'ailes battantes.

•1835
PHAÉTON *France*
Au début du XIXe siècle, il existait un grand nombre de véhicules hippomobiles de tous styles. Avec ses sièges haut placés et sa caisse découverte, l'élégant phaéton était une voiture de luxe. D'abord utilisé en France, il se répandit rapidement en Angleterre et aux États-Unis.

Phaéton, v. 1835

•1838
CHARRETTE MULETIÈRE
Inde
Les petites charrettes ont très peu évolué depuis 3 000 ans. Celle-ci, tirée par un mulet, était utilisée en Inde pour transporter au marché les produits de la ferme. Produit du croisement d'une jument et d'un âne, le mulet est très résistant, supporte le froid comme la chaleur et peut parcourir 80 km par jour.

Charrette muletière indienne, 1838

Best Friend of Charleston

•1830 *BEST FRIEND OF CHARLESTON* États-Unis
Les premières locomotives américaines étaient plus légères que les anglaises et certaines étaient équipées d'une chaudière verticale. La *Best Friend of Charleston* (le *Meilleur Ami de Charleston*), fonctionna en Caroline du Sud jusqu'à ce qu'un mécanicien bloque la soupape de sûreté, ce qui provoqua son explosion. Elle fut plus tard reconstruite et baptisée *Phoenix*.

Kayak

v. 1830 KAYAK *Alaska*
Lorsqu'ils arrivèrent dans l'Arctique, les explorateurs et marchands européens virent les Inuits chasser le phoque dans des canoës de peau appelés « kayaks », qui avaient probablement peu évolué depuis des siècles. Leur structure légère, en bois, est entièrement recouverte de peau de phoque, avec une ouverture circulaire pour le passager. Ce kayak à trois places a sans doute été construit par des marchands russes sur le modèle des petits kayaks inuits. Les kayaks sont toujours utilisés au Groenland.

Figure de proue sculptée

Modèle du *Sirius*, 1838

•1838 *SIRIUS* Irlande
Le *Sirius* fut le premier vapeur à traverser l'Atlantique sans l'aide de ses voiles. Il se trouva cependant à court de charbon et l'équipage dut brûler les meubles et un des mâts pour alimenter la chaudière. La traversée, de Cork, en Irlande, à New York, prit 18 jours et 10 heures. Un autre vapeur bien plus grand, le *Great Western*, arriva à New York 4 heures plus tard après avoir effectué la traversée depuis Bristol, en Angleterre, en 15 jours seulement... et sans rencontrer de problèmes de combustible. *Voir SAVANNAH, 1819.*

1836•
COMPAGNIES DES INDES ORIENTALES *Europe*
Pendant plus de deux siècles, le commerce entre l'Europe et l'Asie fut dominé par les compagnies des Indes orientales basées en France, en Angleterre, en Suède et aux Pays-Bas. Leurs navires, puissamment armés, emportaient de l'or et de l'argent et revenaient les cales pleines de joyaux, d'épices, de porcelaine et de thé.

Navire anglais de la compagnie des Indes, 1836

1830-1834

•**1830** Le train de Manchester à Liverpool est le premier à offrir un service régulier. Les passagers désertent vite les diligences locales, plus chères et moins rapides.
•**1830** La première locomotive construite aux États-Unis, la *Best Friend of Charleston*, atteint 40 km/h lors de sa première sortie en 1831.
•**1830** Construction du premier tunnel ferroviaire près de Canterbury en Angleterre.
•**1830** Le premier aéronaute américain, Charles Durant, effectue une ascension réussie au-dessus de New York.

•**1830** Mise en service en France des locomotives de Marc Seguin. Les chemins de fer se développeront ensuite en Autriche, Belgique, Hollande, Italie, Russie, Espagne, Suède, Suisse, et au Canada.
•**1830** L'Américain Joseph Henry met au point un moteur électrique alimenté par une batterie.
•**1830** Des tramways à chevaux fonctionnent à New York et en France.

1835-1839

•**1836** L'Anglais Francis Pettit Smith et l'Américain John Ericsson expérimentent les premières hélices pour bateaux.
•**1837** Développement du télégraphe électrique, qui sera utilisé par toutes les compagnies de chemins de fer.
•**1838** Deux navires, le *Sirius* et le *Great Western*, traversent l'Atlantique à la vapeur. Des traversées régulières seront bientôt mises en service.
•**1839** Le pont en fer forgé

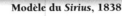

Hélice ancienne

Le *Great Western*, 1837

de Dunlap's Creek en Pennsylvanie est le premier pont métallique américain.
•**1839** Un forgeron écossais, Kirkpatrick Macmillan, construit une bicyclette à pédales, mais son invention n'intéresse personne. *Voir ÉVÉNEMENTS, 1885.*
•**1839** Un bateau à moteur électrique est construit en Russie.

1840

1845

| 1840 | 1841 | 1842 | 1843 | 1844 | 1846 | 1847 | 1848 | 1849 |

AÉRIEN

•1843 DILIGENCE AÉRIENNE À VAPEUR
Grande-Bretagne

Malgré l'engouement général pour les ballons, quelques pionniers tentaient de faire voler des « plus-lourds-que-l'air », qui seront plus tard appelés « aéroplanes ». La diligence aérienne à vapeur de William Henson, destinée au transport des passagers entre l'Europe et la Chine, est restée à l'état de projet. L'énorme machine à vapeur nécessaire pour faire tourner ses hélices aurait empêché tout décollage.

La machine volante de Henson, 1843

Emplacement des hélices

Le monoplan de Stringfellow, 1848

Emplacement du moteur à vapeur

Aile incurvée en bois et toile

Empennage séparé

•1848 MONOPLAN À VAPEUR *Grande-Bretagne*

Certains proclament que le premier aéroplane à moteur à avoir décollé est le modèle réduit de 3 m d'envergure, propulsé à la vapeur, de John Stringfellow. Il s'agissait d'un monoplan (à aile unique) à deux hélices, qui ressemblait presque à un avion moderne. Mais il manquait beaucoup de stabilité et s'écrasa peu après le décollage.

Cheminée

Dôme de vapeur

Bogie

Tender

Roue motrice

Locomotive Norris, 1843

TERRESTRE

V. 1840 SCHOONER DES PRAIRIES
États-Unis

Les nombreux pionniers partant à la conquête de l'Ouest voyageaient dans des chariots bâchés tirés par un couple de mulets ou de bœufs. De loin, sur l'immensité de la prairie, leurs bâches blanches les faisaient ressembler à des voiliers et on les baptisa « schooners ». Les convois, de 100 chariots ou plus, parcouraient environ 30 km par jour, et le voyage pouvait durer jusqu'à cinq mois.

Schooner des prairies, v. 1840

•1843 LOCOMOTIVE *États-Unis*

Avec l'expansion du chemin de fer, des sociétés se spécialisèrent dans la construction de locomotives. La compagnie William Norris de Philadelphie construisait des machines à roues arrière motrices. Les roues avant étaient montées sur un « bogie » pivotant qui permettait à la locomotive de négocier les courbes.

Omnibus londonien, 1847

•1847 OMNIBUS *Grande-Bretagne*

Les premiers omnibus londoniens étaient de petite taille, car taxés en fonction de leur nombre de passagers. Quand cette taxe fut abolie, on vit apparaître des véhicules à impériale (étage supérieur). Ils furent baptisés « planches à couteaux » car leurs sièges, placés dos à dos, ressemblaient à la planche que l'on utilisait alors pour nettoyer les couteaux.

MARITIME

Brick marchand, v. 1840

v. 1840 BRICK MARCHAND *Europe*

De magnifiques grands voiliers en bois continuèrent de sillonner les océans du globe tout au long du XIXᵉ siècle, malgré la rude concurrence des vapeurs et des navires en acier. Par petite brise, l'équipage de ce brick à deux mâts établissait une vingtaine de voiles différentes. La voilure était ferlée (réduite) quand le vent forcissait.

Beaupré

Voiles (bonnettes) gréées sur des vergues et des bômes amovibles

•1845 SAMPAN *Chine*

Les « sampans » (« trois planches » en chinois) sont utilisés depuis des siècles en Extrême-Orient. Ils sont propulsés à la pagaie sur les rivières, mais souvent dotés d'un ou deux mâts pour naviguer le long des côtes. Certains sont munis d'un gaillard d'arrière, d'autres, comme ce modèle, ont une cabine placée au milieu de la coque. Les sampans sont toujours utilisés pour la pêche et le transport, voire même comme habitation dans les zones surpeuplées.

Une pagaie unique propulse le bateau.

Cabine faite de nattes

Modèle décoré de sampan chinois

ÉVÉNEMENTS

1840-1844

• **v. 1840** Les grands « clippers » commencent à rapporter en Europe et en Amérique du thé de Chine.

• **v. 1840** Mise en place de signalisations ferroviaires à bras mobiles pour communiquer avec les chauffeurs des locomotives.

• **v. 1840** D'innombrables pionniers se lancent à la conquête de l'Ouest américain. Chaque printemps, des groupes de chariots prennent la piste qui part d'Independence, dans le Missouri.

• **1841** En Angleterre, Thomas Cook organise sa première excursion par train spécial entre Leicester et Loughborough. C'est le début du tourisme de masse.

• **1841** Les passagers des chemins de fer peuvent maintenant parcourir 250 km en moins de 7 heures, soit trois fois plus vite qu'en diligence.

• **1842** En France, 53 personnes périssent dans le premier grand accident de chemin de fer de l'histoire (dû à la cassure d'un des essieux de la locomotive).

• **1844** Le marin anglais Peter Halket fabrique le premier canot de sauvetage avec de la toile et du caoutchouc.

1845-1849

• **1845** R. W. Thompson dépose le brevet du « pneumatique » gonflé à l'air. Certaines voitures à chevaux utilisent des pneus.

• **1845** Le *Great Britain* de l'ingénieur Brunel devient le premier navire à hélice à traverser l'Atlantique.

• **1847** Aux États-Unis, Moses et Farmer construisent une voiture électrique expérimentale.

Lancement du Great Britain, 1845

• **1848** L'aéroplane de l'Anglais John Stringfellow parvient presque à voler.

• **1848** Le premier chemin de fer d'Amérique du Sud relie Georgetown et Plaisance, en Guyane britannique (aujourd'hui Guyana).

• **1849** Le pont suspendu construit sur la rivière Ohio aux États-Unis est le premier à dépasser 300 m de longueur. Il s'effondre lors d'une tempête quelques années plus tard.

• **1849** Les Autrichiens envoient 200 ballons sans pilote, mais chargés de bombes, vers Venise. L'opération échoue à cause d'une saute de vent.

1850

L'ascension équestre
de Poitevin, 1850

•1850
**CAVALIER
AÉRONAUTE** *France*
Le public se lassant des
démonstrations de ballons,
certains cherchèrent à
renouveler le genre. L'aéronaute
français Poitevin, par exemple,
décolla sur le dos de son poney
Blanche d'un hippodrome
parisien en 1850. Les ligues de
protection des animaux se
déchaînèrent et lors d'une
démonstration en Angleterre, en
1852, on dut empêcher la
femme de Poitevin de décoller
sur le dos d'un taureau...

•1852
DIRIGEABLE À VAPEUR
France
L'ingénieur français Henri Giffard,
en 1852, construisit un dirigeable dont
le moteur à vapeur de 3 CV actionnait
une hélice de 3,4 m de diamètre.
Le 24 septembre 1852, Giffard,
en redingote et haut-de-forme, quitta
Paris et parcourut 27 km à 10 km/h,
effectuant ainsi le premier vol motorisé.

Gouvernail

*— Câbles de
manœuvre*

**Le
dirigeable
de Giffard,
1852**

•1850 LOCOMOTIVE
HIPPOMOBILE *Allemagne*
Les locomotives à vapeur étant coûteuses
à l'achat et à l'entretien, des trains tirés par
des chevaux continuaient à circuler sur
les petites lignes de chemin de fer. Certains
inventeurs audacieux imaginèrent des trains
à air comprimé, d'autres des locomotives
propulsées par des chevaux avançant sur
un tapis roulant. Mais aucune de ces
inventions n'était aussi rapide et puissante
que les locomotives
à vapeur.

**Locomotive à
chevaux, 1850**

Éléphant avec palanquin, 1852

•1852 ÉLÉPHANT *Inde*
Depuis leurs sièges couverts, ou
palanquins, placés sur le dos d'un
éléphant, les radjahs indiens pouvaient
chasser en toute sécurité, même quand
l'éléphant marchait en terrain difficile
ou traversait une rivière. *Voir* ÉLÉPHANT
DE COMBAT, v. 1600.

•1854
CARROSSE À VAPEUR *Italie*
De nombreux ingénieurs rêvaient
de véhicules à vapeur capables de
concurrencer les diligences à chevaux.
Parmi les nombreux prototypes
qui furent construits, celui-ci est
l'œuvre de l'ingénieur
turinois Virgilio
Bordino. Ce « landau »,
tout à fait semblable à
ceux qui étaient alors
tirés par des chevaux, atteignait
la vitesse de 8 km/h sur le plat.

Cheminée   *Carrosserie
de landau*   *Barre de
direction*

Chaudière   *Levier
de
frein*

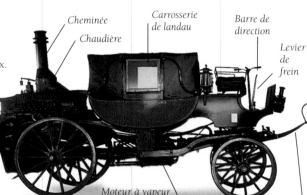

Moteur à vapeur

**Le landau à vapeur
de Bordino, 1854**   *Barre de remorquage*

**Pirogue
baleinière
indonésienne**

*Voile en feuilles
de coco tissées*

**Scène de
chasse à la
baleine,
1855**

Harpon

Pagaie

*« Œil »
du sampan*

•1855
NAVIRES BALEINIERS
La chasse à la baleine est pratiquée depuis fort
longtemps dans de nombreuses régions du monde.
Cette pirogue indonésienne était employée à capturer
des baleines trois fois plus grosses qu'elle. Au XIXe siècle,
la demande d'huile et de fanons de baleines s'accroissant,
des milliers de ces mammifères marins furent tués chaque
année. Pourchassé par des petites embarcations à rames,
l'animal était harponné puis halé vers un gros navire baleinier.

•1858
GREAT EASTERN *Grande-Bretagne*
Dessiné par l'ingénieur britannique Isambard Brunel,
le *Great Eastern* était un bateau révolutionnaire.
Sa coque en acier à double paroi faisait 200 m de long ;
il avait cinq mâts mais marchait aussi à la vapeur,
propulsé par une hélice à quatre pales et deux roues
à aubes. Le *Great Eastern* fit onze traversées
transatlantiques, mais se révéla peu rentable.

**Le *Great
Eastern*, 1858**

• **v. 1850** Les réseaux ferrés se
développent rapidement. Il y a
14 500 km de voies ferrées aux États-Unis
et 9 800 km en Grande-Bretagne, où le rail
commence à prendre le pas sur le transport
fluvial.
• **1850** Le Norvégien Sondre Norheim met au
point une fixation de skis rigide, analogue à
celle utilisée aujourd'hui. Les fixations souples
sont employées en Europe du Nord depuis
des siècles.
• **1852** En France, premier vol du dirigeable
à vapeur de Henri Giffard.
• **1853** En Angleterre, Sir George Cayley
construit et fait voler un planeur.

• **1853** Inauguration du premier chemin de
fer asiatique, entre Bombay et Thana en Inde.
L'année suivante, l'Australie et le Brésil se
dotent à leur tour de voies ferrées.
• **1854** À New York, Elisha Otis fait une
démonstration de son système de sécurité
pour ascenseurs en cas de rupture du câble.
Avec la construction de
bâtiments toujours plus
hauts, les ascenseurs
deviennent
indispensables partout
dans le monde.

**Ski de fond,
Norvège**

• **1856** Le premier chemin de fer africain
relie Alexandrie au Caire, en Égypte.
• **1856** L'Anglais Henry Bessemer invente
un procédé rapide et économique de
production de l'acier. Ce matériau
va vite devenir indispensable à
tous les modes de transport
au cours du XXe siècle.

• **1858** En Australie, William Dean
effectue la première ascension en ballon.
• **1859** Edwin Drake fore le premier puits
de pétrole à Titusville, en Pennsylvanie. C'est
le début de l'exploitation pétrolière, qui sera
déterminante pour l'évolution des transports
au siècle suivant.
• **1859** Le navire de guerre français *La Gloire* est
le premier à être doté d'une coque entièrement
doublée de plaques d'acier.
• **1859** En France, Etienne Lenoir met au point
le premier véritable moteur à explosion.
Les moteurs dérivés de celui-ci, au début
du XXe siècle, vont révolutionner le monde
des transports.

1860 1865

| 1860 | 1861 | 1862 | 1863 | 1864 | 1865 | 1866 | 1867 | 1868 | 1869 |

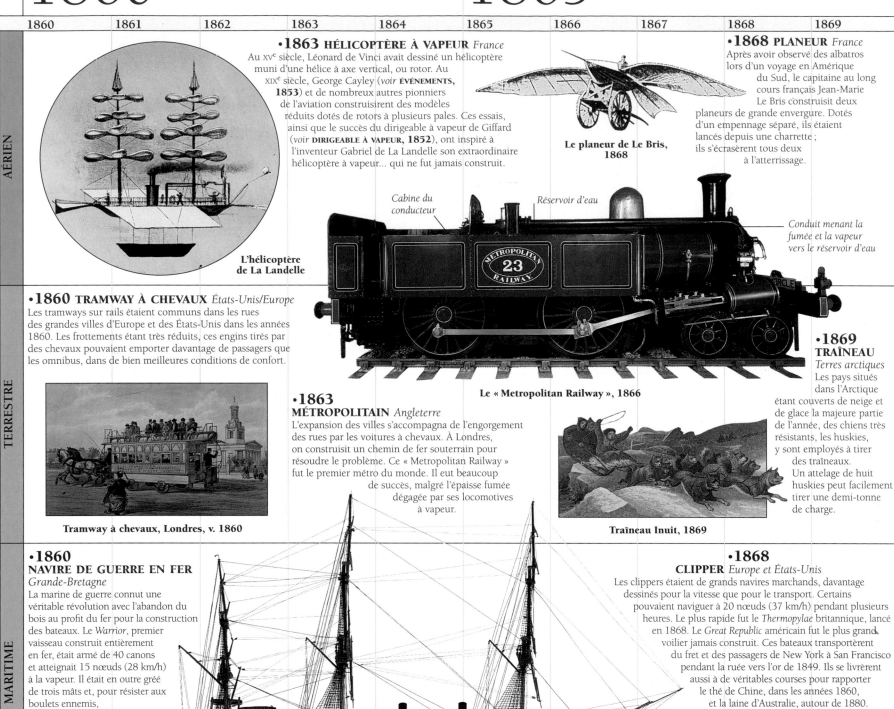

AÉRIEN

•1863 HÉLICOPTÈRE À VAPEUR *France*
Au XVe siècle, Léonard de Vinci avait dessiné un hélicoptère muni d'une hélice à axe vertical, ou rotor. Au XIXe siècle, George Cayley (*voir* **ÉVÉNEMENTS, 1853**) et de nombreux autres pionniers de l'aviation construisirent des modèles réduits dotés de rotors à plusieurs pales. Ces essais, ainsi que le succès du dirigeable à vapeur de Giffard (*voir* **DIRIGEABLE À VAPEUR, 1852**), ont inspiré à l'inventeur Gabriel de La Landelle son extraordinaire hélicoptère à vapeur... qui ne fut jamais construit.

L'hélicoptère de La Landelle

•1868 PLANEUR *France*
Après avoir observé des albatros lors d'un voyage en Amérique du Sud, le capitaine au long cours français Jean-Marie Le Bris construisit deux planeurs de grande envergure. Dotés d'un empennage séparé, ils étaient lancés depuis une charrette ; ils s'écrasèrent tous deux à l'atterrissage.

Le planeur de Le Bris, 1868

Cabine du conducteur — *Réservoir d'eau*

Conduit menant la fumée et la vapeur vers le réservoir d'eau

Le « Metropolitan Railway », 1866

TERRESTRE

•1860 TRAMWAY À CHEVAUX *États-Unis/Europe*
Les tramways sur rails étaient communs dans les rues des grandes villes d'Europe et des États-Unis dans les années 1860. Les frottements étant très réduits, ces engins tirés par des chevaux pouvaient emporter davantage de passagers que les omnibus, dans de bien meilleures conditions de confort.

Tramway à chevaux, Londres, v. 1860

•1863 MÉTROPOLITAIN *Angleterre*
L'expansion des villes s'accompagna de l'engorgement des rues par les voitures à chevaux. À Londres, on construisit un chemin de fer souterrain pour résoudre le problème. Ce « Metropolitan Railway » fut le premier métro du monde. Il eut beaucoup de succès, malgré l'épaisse fumée dégagée par ses locomotives à vapeur.

•1869 TRAÎNEAU *Terres arctiques*
Les pays situés dans l'Arctique étant couverts de neige et de glace la majeure partie de l'année, des chiens très résistants, les huskies, y sont employés à tirer des traîneaux. Un attelage de huit huskies peut facilement tirer une demi-tonne de charge.

Traîneau Inuit, 1869

MARITIME

•1860 NAVIRE DE GUERRE EN FER *Grande-Bretagne*
La marine de guerre connut une véritable révolution avec l'abandon du bois au profit du fer pour la construction des bateaux. Le *Warrior*, premier vaisseau construit entièrement en fer, était armé de 40 canons et atteignait 15 nœuds (28 km/h) à la vapeur. Il était en outre gréé de trois mâts et, pour résister aux boulets ennemis, cuirassé de plaques de fer de 11 cm d'épaisseur.

Le Warrior, 1860

•1868 CLIPPER *Europe et États-Unis*
Les clippers étaient de grands navires marchands, davantage dessinés pour la vitesse que pour le transport. Certains pouvaient naviguer à 20 nœuds (37 km/h) pendant plusieurs heures. Le plus rapide fut le *Thermopylae* britannique, lancé en 1868. Le *Great Republic* américain fut le plus grand voilier jamais construit. Ces bateaux transportèrent du fret et des passagers de New York à San Francisco pendant la ruée vers l'or de 1849. Ils se livrèrent aussi à de véritables courses pour rapporter le thé de Chine, dans les années 1860, et la laine d'Australie, autour de 1880.

Le clipper américain *Great Republic*, 1853-72

ÉVÉNEMENTS

1860-1864

•**1860** Lancement en *Grande-Bretagne* du premier navire de guerre en fer, le *Warrior*.
•**1860** Début aux États-Unis du service postal Pony Express. Les lettres envoyées du Missouri arrivent en Californie 10 jours plus tard.
•**1861** En France, Ernest Michaux construit une bicyclette, ou vélocipède, à pédales et roue avant directrice.
•**1862** L'ingénieur français Beau de Rochas dépose le brevet d'un moteur à explosion à quatre temps. L'Allemand Nikolaus Otto sera le

premier à en construire un en 1876.
•**1863** Le premier métro du monde est inauguré à Londres.
•**1863** Aux États-Unis, James Plimpton fabrique des patins à roulettes qui permettent de prendre des virages.
•**1863** L'Anglais Thomas Weston dépose le brevet d'un embrayage à friction, dispositif qui relie l'arbre moteur aux roues d'un véhicule.
•**1864** L'Américain George Pullman construit un wagon, le « pullman », doté de couchettes.

1865-1869

Le chemin de fer traverse les États-Unis, 1869

•**1865** Une loi britannique limite à 6 km/h la vitesse des véhicules motorisés. En outre, ils doivent être précédés (à 55 m) d'un homme portant un drapeau rouge.
•**1867** En France, Joseph Monier invente le béton armé.
•**1867** Le Français Perreaux crée la première motocyclette en adaptant une machine à vapeur sur un vélocipède de Michaux. *Voir* **ÉVÉNEMENTS, 1861.**
•**1869** Inauguration du canal de Suez (160 km) reliant la mer

Rouge et la Méditerranée.
•**1869** Le premier chemin de fer trans-américain est achevé quand les compagnies Central Pacific et Union Pacific effectuent leur jonction près de Salt Lake City.
•**1869** Le premier chemin de fer à crémaillère fonctionne sur les pentes du mont Washington, aux États-Unis.
•**1869** L'ingénieur américain George Westinghouse dépose le brevet d'un frein à air comprimé.

1870

1875

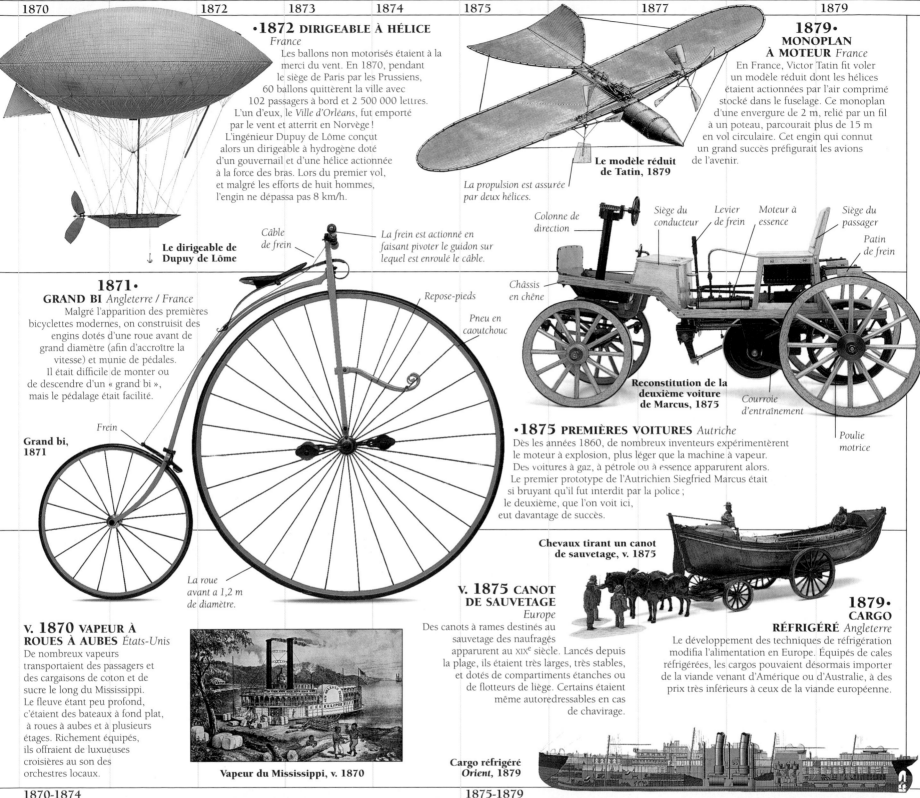

•1872 DIRIGEABLE À HÉLICE
France

Les ballons non motorisés étaient à la merci du vent. En 1870, pendant le siège de Paris par les Prussiens, 60 ballons quittèrent la ville avec 102 passagers à bord et 2 500 000 lettres. L'un d'eux, le *Ville d'Orléans*, fut emporté par le vent et atterrit en Norvège ! L'ingénieur Dupuy de Lôme conçut alors un dirigeable à hydrogène doté d'un gouvernail et d'une hélice actionnée à la force des bras. Lors du premier vol, et malgré les efforts de huit hommes, l'engin ne dépassa pas 8 km/h.

Le dirigeable de Dupuy de Lôme ↓

1879•
MONOPLAN À MOTEUR *France*

En France, Victor Tatin fit voler un modèle réduit dont les hélices étaient actionnées par l'air comprimé stocké dans le fuselage. Ce monoplan d'une envergure de 2 m, relié par un fil à un poteau, parcourait plus de 15 m en vol circulaire. Cet engin qui connut un grand succès préfigurait les avions de l'avenir.

Le modèle réduit de Tatin, 1879

La propulsion est assurée par deux hélices.

Colonne de direction

Siège du conducteur

Levier de frein

Moteur à essence

Siège du passager

Patin de frein

Châssis en chêne

Câble de frein

La frein est actionné en faisant pivoter le guidon sur lequel est enroulé le câble.

Repose-pieds

Pneu en caoutchouc

1871•
GRAND BI *Angleterre / France*

Malgré l'apparition des premières bicyclettes modernes, on construisit des engins dotés d'une roue avant de grand diamètre (afin d'accroître la vitesse) et munie de pédales. Il était difficile de monter ou de descendre d'un « grand bi », mais le pédalage était facilité.

Grand bi, 1871

Frein

Reconstitution de la deuxième voiture de Marcus, 1875

Courroie d'entraînement

Poulie motrice

•1875 PREMIÈRES VOITURES *Autriche*

Dès les années 1860, de nombreux inventeurs expérimentèrent le moteur à explosion, plus léger que la machine à vapeur. Des voitures à gaz, à pétrole ou à essence apparurent alors. Le premier prototype de l'Autrichien Siegfried Marcus était si bruyant qu'il fut interdit par la police ; le deuxième, que l'on voit ici, eut davantage de succès.

La roue avant a 1,2 m de diamètre.

Chevaux tirant un canot de sauvetage, v. 1875

V. 1870 VAPEUR À ROUES À AUBES *États-Unis*

De nombreux vapeurs transportaient des passagers et des cargaisons de coton et de sucre le long du Mississippi. Le fleuve étant peu profond, c'étaient des bateaux à fond plat, à roues à aubes et à plusieurs étages. Richement équipés, ils offraient de luxueuses croisières au son des orchestres locaux.

Vapeur du Mississippi, v. 1870

V. 1875 CANOT DE SAUVETAGE
Europe

Des canots à rames destinés au sauvetage des naufragés apparurent au XIXᵉ siècle. Lancés depuis la plage, ils étaient très larges, très stables, et dotés de compartiments étanches ou de flotteurs de liège. Certains étaient même autoredressables en cas de chavirage.

1879•
CARGO RÉFRIGÉRÉ *Angleterre*

Le développement des techniques de réfrigération modifia l'alimentation en Europe. Équipés de cales réfrigérées, les cargos pouvaient désormais importer de la viande venant d'Amérique ou d'Australie, à des prix très inférieurs à ceux de la viande européenne.

Cargo réfrigéré *Orient*, 1879

• **v. 1870** On trouve des voies ferrées aériennes – moins chères à construire que les métros – dans de nombreuses villes d'Europe et d'Amérique du Nord.

• **v. 1870** Près de 25 millions d'Européens vont acheter un aller simple pour les États-Unis dans les cinquante ans qui viennent. Ces émigrants qui vont chercher fortune voyageront sans aucun confort.

• **1871** Construction en Angleterre de la première soufflerie. Ces « tunnels à vent » permettent de tester les voitures et les avions.

• **1872** Le premier chemin de fer japonais relie Tokyo à Yokohama. Le premier bateau à vapeur japonais est aussi mis à l'eau cette année-là.

• **1872** Les milliers de chevaux qui assurent les transports new-yorkais sont victimes d'une épidémie : le trafic est paralysé.

• **1873** Début de l'exploitation des tramways à câble de San Francisco, qui montent les rues en pente en se faisant tirer par un câble placé dans la chaussée.

• **1874** Construction, sur le Mississippi, du premier pont comportant des éléments en acier.

La tragédie du Zénith, 1875

• **1875** Siegfried Marcus essaie sa voiture à essence à Vienne (Autriche).

• **1875** Début du creusement du tunnel sous la Manche. Les travaux seront arrêtés par peur d'une invasion de l'Angleterre, comme le seront ceux du projet de 1882.

• **1875** Trois Français atteignent l'altitude record de 8,6 km à bord du ballon *Zénith*, mais deux meurent de froid et du manque d'air.

• **1877** Lancement du premier navire de guerre en acier, l'*Iris*.

• **1877** Un vapeur, le *Paraguay*, transporte d'Argentine en Europe la première cargaison de viande congelée.

• **1877** Un pont « cantilever » en fer forgé est construit sur la rivière Kentucky. Les tabliers sont assemblés de part et d'autre d'une pile du pont jusqu'à ce qu'ils rejoignent ceux des piles voisines.

• **1878** Le premier pétrolier navigue sur la mer Caspienne.

• **1879** Le premier train électrique, dû à l'ingénieur allemand Werner von Siemens, roule à 6 km/h.

1880-1959 L'avènement de l'avion et de l'automobile

Chaîne de montage de Ford modèles « T », 1913

E N 1880, SEULS EXISTAIENT quelques rares prototypes d'automobiles. Quatre-vingts ans plus tard, on dénombrait 95 millions de véhicules de par le monde, propulsés par des moteurs à explosion fonctionnant à l'essence – bien plus légers, rapides et puissants que les machines à vapeur qu'ils ont vite remplacées. Ce moteur a aussi révolutionné, tout au long du XXe siècle, les transports aérien et maritime.

Prototypes de la coccinelle Volkswagen, 1936

DES VOITURES POUR TOUS

Les voitures anciennes construites à l'unité, comme cette Rolls-Royce « Silver Ghost », étaient très chères. L'arrivée de la production de masse a bouleversé l'histoire de l'automobile. Grâce aux chaînes de montage des usines, des voitures comme la Ford modèle « T » ou la coccinelle Volkswagen sont devenues accessibles à tous. L'amélioration des routes et la construction d'autoroutes sont allées de pair avec cette évolution.

L'ère du moteur à explosion

L'automobile a donné à tout un chacun la liberté d'aller où il veut, quand bon lui semble. Grâce à ce nouveau moyen de transport, il est devenu possible de travailler en ville tout en habitant de lointaines banlieues, ceux qui n'avaient pas les moyens de s'offrir une voiture pouvant emprunter les transports en commun. Le début du siècle vit le triomphe des chemins de fer : les tramways et les autobus remplacèrent les voitures à chevaux. Sur mer, les moteurs Diesel commencèrent à équiper les petits bateaux, les plus gros étant toujours propulsés par des turbines à vapeur. L'âge de la marine à voile était pratiquement révolu.

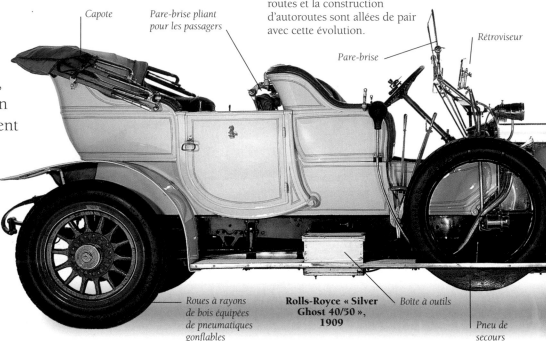

Capote

Pare-brise pliant pour les passagers

Pare-brise

Rétroviseur

Roues à rayons de bois équipées de pneumatiques gonflables

Rolls-Royce « Silver Ghost 40/50 », 1909

Boîte à outils

Pneu de secours

UN MONDE EN MUTATION : 1880-1959

Le premier train électrique, à Lichterfelde, Allemagne, 1881

ÉLECTRICITÉ

Les moyens de transport en commun électriques sauvèrent du chaos les grandes villes du début du siècle. Alimentés en énergie par un câble aérien, ou un rail sous tension, les trains et tramways électriques étaient rapides et sûrs. L'électricité est en outre une énergie propre, mais les centrales thermiques qui la produisent à partir de charbon ou de fioul causent de sévères pollutions.

PÉTROLE

Après 1900, l'essence devint la principale source d'énergie des véhicules, en remplacement du charbon. Le pétrole, ou « or noir », est constitué des restes fossilisés de minuscules créatures marines qui vivaient il y a des millions d'années. Accumulé dans des réservoirs souterrains, il peut être récupéré par pompage au moyen de puits. Les premiers puits de pétrole sont apparus aux États-Unis, puis en Russie et au Moyen-Orient.

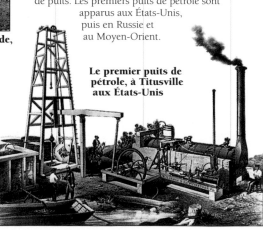

Le premier puits de pétrole, à Titusville aux États-Unis

AVIATION

La naissance de l'aviation s'est faite dans l'indifférence : le premier vol des frères Wright est presque passé inaperçu. Il faut dire que ce premier « bond » atteignit tout juste 37 m, soit moins que la longueur d'un gros avion actuel ! Les pionniers de l'aviation durent non seulement concevoir une machine volante, mais aussi imaginer des méthodes pour la contrôler. Les frères Wright choisirent une légère torsion des ailes pour gouverner leur *Flyer*, mais l'emploi des ailerons s'est ensuite généralisé.

Le *Flyer* des frères Wright, 1903

PALACES FLOTTANTS

À bord des élégants paquebots qui sillonnaient les océans avant la Deuxième Guerre mondiale, des croisières d'un luxe inouï réunissaient des centaines de passagers fortunés. Considérées comme très rapides pour l'époque, ces traversées sembleraient aujourd'hui bien lentes : il fallait quatre ou cinq jours pour aller d'Europe en Amérique.

Salle à manger d'un paquebot, v. 1910

Inauguration d'une autoroute, Allemagne, 1935

Les premiers avions

La légèreté du moteur à explosion permit de construire les premiers aéroplanes. Contrairement aux ballons à air chaud, ces engins pouvaient voler tout en étant plus lourds que l'air. À l'image des premiers aérostiers, nombre d'intrépides inventeurs tentèrent, surtout par jeu, de voler sur un « plus lourd que l'air ». Mais le jeu devint plus sérieux au cours de la Première Guerre mondiale et il mena, dans les années 1920, aux premiers voyages aériens. Trente ans plus tard, des avions à réaction transportaient des passagers, à grande vitesse et avec tout le confort, d'un continent à l'autre. L'aviation s'était développée à un tel rythme que beaucoup de ceux qui voyaient voler ces avions à réaction se rappelaient le temps où il n'y avait ni avions ni voitures.

Un monde divisé

La mascotte de radiateur (baptisée « Spirit of Ecstasy ») fut ajoutée en 1911.

Malgré l'enthousiasme suscité par ces nouveaux moyens de transport, la liberté de voyager à sa guise n'existait que dans les pays industrialisés, en Europe et en Amérique du Nord. En 1914, par exemple, l'Américain moyen parcourait environ 2 500 km par an, dont la majeure partie à pied. Cinquante ans plus tard, il parcourait le double de cette distance chaque mois, essentiellement en voiture. Dans les pays moins industrialisés, l'essor de l'automobile est beaucoup plus récent.

LES TECHNOLOGIES

LE SECRET DU VOL : L'AILE

C'est à cause du profil de ses ailes qu'un avion est capable de voler. Lorsque l'avion avance, l'air s'écoule normalement sur la face inférieure des ailes, qui est plane. La face supérieure, bombée, oblige l'air à parcourir un chemin plus long, et donc à aller plus vite. Comme la pression de l'air diminue quand sa vitesse augmente, il en résulte une force de portance dirigée vers le haut qui maintient l'avion en l'air. Plus l'avion va vite, plus grande est sa portance.

Dépression sur la face supérieure de l'aile

Triplan Avro, 1910

Surpression sur la face inférieure de l'aile

COMBUSTION INTERNE

Provoquer des explosions à l'intérieur d'un tube de métal est une bien curieuse façon de propulser un véhicule – mais ça marche ! Dans la plupart des moteurs à combustion interne, une étincelle enflamme un mélange d'air et de vapeur d'essence à l'intérieur d'un cylindre. L'explosion provoquée par une bougie repousse un piston qui actionne un vilebrequin et fait tourner l'arbre du moteur. Lorsqu'il remonte, le piston chasse les gaz brûlés. Un moteur Diesel comprime le mélange d'air et de fioul, qui explose spontanément.

Le moteur de Nikolaus Otto, 1888

AGRICULTURE MÉCANISÉE

Le moteur à explosion transforma aussi l'agriculture. Autour de 1900, on vit les premiers tracteurs remplacer dans les champs les animaux de trait. En 1950, il y avait 4 millions de tracteurs aux États-Unis et 2 millions dans le reste du monde. Ces machines permettent de transporter facilement les produits de la ferme, tandis que les moissonneuses accélèrent notablement la récolte des céréales.

Réclame pour le tracteur « Glasgow », 1919

SPORTS

L'intérêt pour le sport et les activités de loisir a beaucoup profité à la technologie des transports. Le ski nautique et le surf, par exemple, ont mené à l'invention de matériaux nouveaux, légers et résistants à la fois. De même, les courses automobiles d'endurance ont permis aux constructeurs de tester leurs voitures et de proposer au grand public des modèles toujours plus fiables.

Ski nautique, États-Unis, années 1920

La gare centrale, New York, 1913

CHEMINS DE FER

Pour voyager d'une ville à l'autre, les chemins de fer étaient incomparables, d'autant que la sévère concurrence entre les compagnies se traduisit, dans la première moitié du siècle, par une qualité de services inégalée depuis lors. Les gares et les hôtels attenants étaient souvent des bâtiments de prestige. En 1960, les chemins de fer commencèrent à décliner dans les pays industrialisés, mais ils étaient en pleine croissance ailleurs dans le monde.

GUERRE ET PAIX

Pendant les deux guerres mondiales (1914-18 et 1939-45), la nécessité de transporter rapidement sur les lieux de conflit armes, troupes et ravitaillements, a développé la technologies des avions, des bateaux et des voitures. Ces nouvelles techniques ont eu des applications civiles dès la fin de la guerre. Les recherches allemandes sur la propulsion par fusée dans les années 1940 ont permis aux Américains de mettre sur pied leur programme spatial.

Canon Howitzer, Deuxième Guerre mondiale

1880

1885

| 1880 | 1881 | 1882 | 1883 | 1884 | 1885 | 1886 | 1889 |

AÉRIEN

Remplie d'hydrogène, l'enveloppe avait 28 m de long.

•1883-84 DIRIGEABLES ÉLECTRIQUES *France*
Gaston et Albert Tissandier, deux aéronautes français, adaptèrent un moteur électrique à un dirigeable. L'engin était de grandes dimensions afin de pouvoir emporter les lourdes batteries alimentant le moteur, mais il n'atteignit que 5 km/h à pleine puissance. Plus tard, Charles Renard et Arthur Krebs construisirent un engin plus grand encore, baptisé *La France*, dont les batteries et le moteur pesaient presque 1 tonne. Le dirigeable atteignait 23 km/h, mais s'avéra incapable de remonter contre le vent dès que la brise se levait.

Le premier vol en circuit fermé, effectué par Renard et Krebs à bord de *La France* en 1884.

Levier de frein

Réservoir d'eau de refroidissement

Voile-gouvernail

Le dirigeable des frères Tissandier, 1883

Suspentes maintenant la nacelle et reliées à une housse

Roue à rayons métalliques

TERRESTRE

v. 1880 TRAVOIS *Amérique du Nord*
Les Indiens d'Amérique du Nord transportaient leurs biens au moyen de deux longues perches tirées par un chien ou un cheval. Le travois a une très longue histoire et a sans doute été utilisé avant le traîneau dans de nombreuses parties du monde. *Voir* TRAÎNEAU, –5000.

Indiens des plaines et travois, 1880

1886•
TRICYCLE DE BENZ *Allemagne*
Le tricycle à moteur à essence construit par Karl Benz en 1885 peut sans doute être considéré comme la première véritable voiture. Quand Benz en fit la démonstration en public, l'année suivante, sa « Motorwagen » à deux places atteignit la vitesse de 13 km/h. Monté sous le siège, le moteur entraînait les roues au moyen d'une courroie. L'usine de Benz, qui produisit des tricycles puis des voitures à quatre roues, fut la première usine de l'industrie automobile.

1885•
MOTOCYCLETTE DAIMLER *Allemagne*
L'ingénieur allemand Gottfried Daimler accomplit un pas décisif en construisant un moteur à essence qui tournait trois fois plus vite que tous les moteurs existants. Il adapta ce moteur léger et compact à une bicyclette à roues de bois, puis, en 1886, à un chariot à quatre roues.

Réplique de la motocyclette de Daimler, 1885

Bandages de caoutchouc

Le tricycle de Benz, 1886

Roue de bois cerclée de fer

MARITIME

Le *Servia*, cargo en acier, 1881

1881•
CARGO EN ACIER *Grande-Bretagne*
L'apparition d'un nouveau procédé de fabrication de l'acier – le procédé Siemens – permet d'abandonner la construction navale en fer : les plaques d'acier sont plus fines, plus légères et aussi résistantes que les plaques de fer. Le *Servia* fut le premier cargo entièrement en acier. Il transportait aussi des passagers et fut le premier navire équipé d'un éclairage électrique.

Les canons sont montés sur des supports pivotants.

•1888
CROISEUR EN ACIER
Japon
À la fin du XIXᵉ siècle, les marines de guerre modernisèrent leurs flottes. Grande puissance militaire et industrielle, le Japon se dota d'une marine impériale et d'un croiseur entièrement construit en acier, le *Takao*. Plus légers et plus rapides que les cuirassés, les croiseurs sont équipés de canons mais leurs coques ne sont pas aussi bien protégées.

Le *Takao*, 1888

ÉVÉNEMENTS

1880-1884
•**1880** Inauguration du premier chemin de fer chinois.
•**1881** Inauguration, à Lichterfelde près de Berlin, du premier chemin de fer électrique.
•**1882** Achèvement du tunnel ferroviaire du Saint-Gothard reliant l'Italie et la Suisse.
•**1882** En Allemagne, les ingénieurs Daimler et Maybach travaillent à des moteurs à explosion tournant à haut régime.

•**1883** Le plus long pont suspendu du monde, le pont de Brooklyn à New York, est ouvert à la circulation.
•**1883** Le luxueux *Orient Express* transporte ses premiers passagers. Il va de Paris à Constantinople, en Turquie.
•**1884** L'ingénieur britannique Charles Parsons dépose le brevet d'une turbine à vapeur.
•**1884** Le dirigeable, *La France*, vole au-dessus de Paris ; il est propulsé par un moteur électrique.

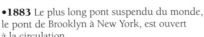

Voyage en train de luxe au XIXᵉ siècle

1885-1889
•**1885** Construction à Newcastle, en Angleterre, du premier pétrolier spécialement construit dans ce but, le *Glückauf*.
•**1885** L'ingénieur allemand Karl Benz construit et essaye sa « Motorwagen » – la première vraie voiture.
•**1885** La « bicyclette de sûreté » de l'Anglais J. K. Starley est la première bicyclette moderne : elle a deux roues de même diamètre, la roue arrière – actionnée par des pédales et une chaîne – assurant la propulsion.

Les pneus de Dunlop montés sur la bicyclette de son fils

•**1886** Succès, en Angleterre, des premiers tandems.
•**1886** Le chemin de fer transcontinental Canadian Pacific est achevé. Longueur : 4 635 km.
•**1888** L'Écossais John Dunlop réinvente le pneumatique (*voir* ÉVÉNEMENTS, 1845). Tous les vélos et les voitures seront bientôt dotés de pneus.
•**1889** À la suite d'un grave accident ferroviaire, les freins automatiques sont obligatoires sur tous les trains britanniques.
•**1889** Une locomotive à vapeur atteint la vitesse de 143 km/h sur la ligne Paris-Dijon.

1895

| 1890 | 1892 | 1893 | 1894 | 1895 | 1896 | 1897 | 1898 | 1899 |

Les ailes sont inspirées de celles des chauves-souris

L'Éole de Clément Ader, 1891

•1890
L'ÉOLE DE CLÉMENT ADER
France

L'ingénieur Clément Ader conçut un moteur à vapeur très léger et l'adapta sur un monoplan à ailes de chauve-souris baptisé *Éole*. Ader fut ainsi le premier aviateur à décoller du sol sur un avion motorisé, à Armainvilliers. L'*Éole* rasa le sol sur plus de 50 m !

Colonne de direction

Le moteur à vapeur actionne une hélice à quatre pales.

•1895
PLANEUR *Allemagne*

S'élançant, face au vent, du sommet d'une colline, Otto Lilienthal réussit plusieurs vols à bord de divers planeurs de sa construction, qu'il guidait en modifiant la position de son corps. Son prototype n° 11 fit un vol de 350 m. Lilienthal mourut lors d'un atterrissage en 1896, mais il a probablement inspiré les frères Wright. *Voir* LE FLYER DES FRÈRES WRIGHT, 1903.

Lilienthal contrôlait son vol en bougeant les jambes, modifiant ainsi le centre de gravité.

Le planeur n° 11 de Lilienthal, 1895

Ailes de coton à nervures de saule

Jinrikisha japonais, 1892

1892•
JINRIKISHA *Japon*

À la fin du XIXe siècle, on voyait encore dans beaucoup de villes du Japon et d'Asie des petites voitures à deux roues tirées par un homme. Ces « rickshaws », comme les appelaient les touristes européens, pouvaient parcourir jusqu'à 48 km par jour. Ils ont aujourd'hui quasiment disparu.

•1895
LOCOMOTIVE ÉLECTRIQUE
États-Unis

La compagnie de chemins de fer américaine « Baltimore and Ohio » fut la première à utiliser des locomotives électriques. Six kilomètres et demi de voie (sous tunnel) furent électrifiés, car la fumée des locomotives à vapeur causait une importante pollution.

Locomotive électrique B&O avec son rail aérien

•1897 VOITURE À VAPEUR
États-Unis

Le triomphe du moteur à explosion ne fut pas immédiat. Les frères Stanley, de l'État du Massachusetts, construisirent une voiture à vapeur commercialisée sous le nom de « Locomobile ». Elle consommait près de 3 litres d'eau par kilomètre et prenait environ une demi-heure pour démarrer le matin, mais il en fut vendu plus de 5 000 exemplaires.

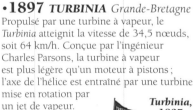

Locomobile Stanley, 1897

1895•
BARQUE ROYALE *Birmanie*

Les embarcations cérémonielles ont existé depuis les temps les plus reculés. Celle-ci naviguait sur le fleuve Irrawaddy et appartenait au roi de Birmanie. Richement décorée, elle était propulsée par des rameurs portant des vêtements d'apparat.

Barque royale birmane, 1895

•1897 TURBINIA *Grande-Bretagne*

Propulsé par une turbine à vapeur, le *Turbinia* atteignit la vitesse de 34,5 nœuds, soit 64 km/h. Conçue par l'ingénieur Charles Parsons, la turbine à vapeur est plus légère qu'un moteur à pistons ; l'axe de l'hélice est entraîné par une turbine mise en rotation par un jet de vapeur.

Turbinia, 1897

| 1890-1894 | | 1895-1899 | |

•**1890** Le premier métro électrique est mis en service à Londres. Il passe dans un tunnel creusé sous la Tamise.
•**1890** L'*Éole* du Français Clément Ader est le premier « plus-lourd-que-l'air » à décoller du sol par ses propres moyens.
•**1890** Achèvement, en Écosse, du pont ferroviaire du Firth of Forth.
•**1891** Les Français Émile Levassor et René Panhard construisent une voiture avec moteur à l'avant, roues arrière motrices, boîte de vitesses et embrayage.

•**1891** En Allemagne, Otto Lilienthal réussit plusieurs vols planés.
•**1892** L'Américain Jesse Reno invente l'escalier roulant.
•**1892** L'Allemand Rudolph Diesel dépose le brevet d'un nouveau type de moteur à explosion.
•**1893** Les frères Duryea, de Springfield dans le Massachusetts, construisent la première voiture américaine à moteur à explosion.
•**1893** L'Australien Laurence Hargrave invente une structure de cerf-volant qui inspirera les pionniers de l'aviation.

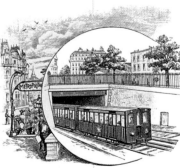

Le métro parisien

•**1895** En Allemagne, achèvement du canal de Kiel qui relie la mer Baltique à la mer du Nord.
•**1895** La première course automobile a lieu entre Paris et Bordeaux (et retour).
•**1895** Un train électrique est testé sur une voie de la compagnie « Baltimore and Ohio », aux États-Unis.
•**1896** De nouvelles lois britanniques élèvent la limite de vitesse pour les automobiles à 19 km/h. *Voir* ÉVÉNEMENTS, 1865.

•**1897** Construction de la voiture à vapeur Stanley aux États-Unis.
•**1897** Devant le succès du navire *Turbinia*, de nombreux bateaux sont équipés de la turbine à vapeur de Charles Parsons.
•**1898** Début des travaux du métro parisien, qui ouvrira en 1900.
•**1899** Le Belge Camille Jenatzy établit le record du monde de vitesse à 106 km/h sur sa « Jamais-Contente », une voiture électrique.

1900

1905

| 1900 | 1901 | 1903 | 1904 | 1905 | 1906 | 1907 | 1908 | 1909 |

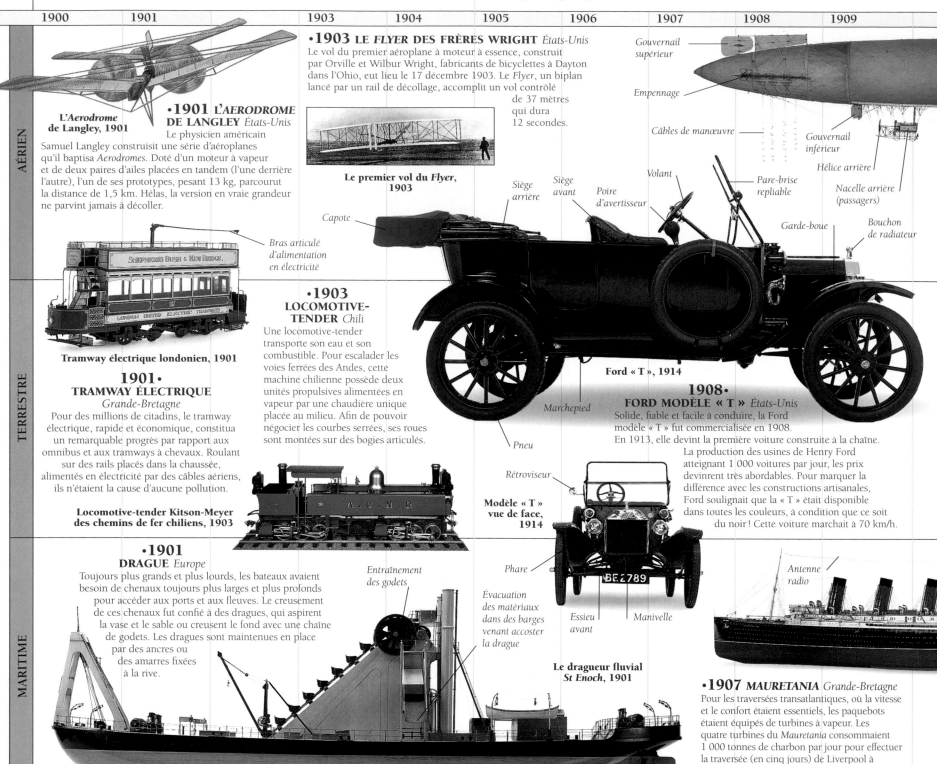

AÉRIEN

L'Aerodrome de Langley, 1901

•1901 L'AERODROME DE LANGLEY *États-Unis*
Le physicien américain Samuel Langley construisit une série d'aéroplanes qu'il baptisa *Aerodromes*. Doté d'un moteur à vapeur et de deux paires d'ailes placées en tandem (l'une derrière l'autre), l'un de ses prototypes, pesant 13 kg, parcourut la distance de 1,5 km. Hélas, la version en vraie grandeur ne parvint jamais à décoller.

•1903 LE *FLYER* DES FRÈRES WRIGHT *États-Unis*
Le vol du premier aéroplane à moteur à essence, construit par Orville et Wilbur Wright, fabricants de bicyclettes à Dayton dans l'Ohio, eut lieu le 17 décembre 1903. Le *Flyer*, un biplan lancé par un rail de décollage, accomplit un vol contrôlé de 37 mètres qui dura 12 secondes.

Le premier vol du *Flyer*, 1903

Gouvernail supérieur
Empennage
Câbles de manœuvre
Gouvernail inférieur
Hélice arrière
Nacelle arrière (passagers)

Siège arrière — *Siège avant* — *Capote* — *Poire d'avertisseur* — *Volant* — *Pare-brise repliable* — *Garde-boue* — *Bouchon de radiateur*

TERRESTRE

Tramway électrique londonien, 1901

**1901•
TRAMWAY ÉLECTRIQUE**
Grande-Bretagne
Pour des millions de citadins, le tramway électrique, rapide et économique, constitua un remarquable progrès par rapport aux omnibus et aux tramways à chevaux. Roulant sur des rails placés dans la chaussée, alimentés en électricité par des câbles aériens, ils n'étaient la cause d'aucune pollution.

Bras articulé d'alimentation en électricité

•1903 LOCOMOTIVE-TENDER *Chili*
Une locomotive-tender transporte son eau et son combustible. Pour escalader les voies ferrées des Andes, cette machine chilienne possède deux unités propulsives alimentées en vapeur par une chaudière unique placée au milieu. Afin de pouvoir négocier les courbes serrées, ses roues sont montées sur des bogies articulés.

Locomotive-tender Kitson-Meyer des chemins de fer chiliens, 1903

Ford « T », 1914

Marchepied — *Pneu*

**1908•
FORD MODÈLE « T »** *États-Unis*
Solide, fiable et facile à conduire, la Ford modèle « T » fut commercialisée en 1908. En 1913, elle devint la première voiture construite à la chaîne. La production des usines de Henry Ford atteignant 1 000 voitures par jour, les prix devinrent très abordables. Pour marquer la différence avec les constructions artisanales, Ford soulignait que la « T » était disponible dans toutes les couleurs, à condition que ce soit du noir ! Cette voiture marchait à 70 km/h.

Rétroviseur

Modèle « T » vue de face, 1914

Phare — *Essieu avant* — *Manivelle*

BE 2789

MARITIME

•1901 DRAGUE *Europe*
Toujours plus grands et plus lourds, les bateaux avaient besoin de chenaux toujours plus larges et plus profonds pour accéder aux ports et aux fleuves. Le creusement de ces chenaux fut confié à des dragues, qui aspirent la vase et le sable ou creusent le fond avec une chaîne de godets. Les dragues sont maintenues en place par des ancres ou des amarres fixées à la rive.

Entraînement des godets
Évacuation des matériaux dans des barges venant accoster la drague

Le dragueur fluvial St Enoch, 1901

Antenne radio

•1907 *MAURETANIA* *Grande-Bretagne*
Pour les traversées transatlantiques, où la vitesse et le confort étaient essentiels, les paquebots étaient équipés de turbines à vapeur. Les quatre turbines du *Mauretania* consommaient 1 000 tonnes de charbon par jour pour effectuer la traversée (en cinq jours) de Liverpool à New York. Ce navire fut le premier à être équipé d'un système de navigation par radio.

ÉVÉNEMENTS

1900-1904

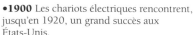

Palan pour relever ou abaisser les godets, selon la hauteur de la marée

•1900 Les chariots électriques rencontrent, jusqu'en 1920, un grand succès aux États-Unis.
•1900 En Allemagne, lancement du premier dirigeable rigide conçu par le comte von Zeppelin. Sa compagnie en construira plus de 100 dans les trente années suivantes.

•1901 En France, les frères Werner construisent la première motocyclette à moteur central.
•1901 Inauguration d'un monorail à Wuppertal, en Allemagne. Les voitures sont suspendues à un rail aérien unique.
•1901 Aux États-Unis, Ransom Olds applique les principes de la production de masse à la construction automobile et produit 5 000 « Oldsmobile » par an.
•1903 Orville Wright accomplit son vol historique à Kitty Hawk, en Caroline du Nord.
•1904 L'ingénieur français Eugène Freyssinet invente le béton précontraint, utilisé depuis pour la construction des ouvrages d'art.

1905-1909

•1905 Les autobus à moteur qui circulent dans les rues de Londres et de New York auront remplacé, dès 1914, les voitures à chevaux.

La traversée de la Manche par Blériot, 1909

•1907 Mise en service du paquebot à turbine *Lusitania* (sistership du *Mauretania*). Il sera coulé par un sous-marin allemand en 1915.
•1907 Henri Farman, Français d'origine anglaise, réalise le premier vol en aéroplane (durée : 1 minute) sur son *Voisin Farman 1*.
•1908 La compagnie Ford lance son modèle « T ». 16,5 millions d'exemplaires auront été vendus en 1927.
•1908 Thérèse Peltier est la première aviatrice de l'histoire.
•1909 Louis Blériot traverse la Manche à bord de son monoplan Type XI et gagne le prix de 1 000 livres.

1910

1915

1910 1911 1912 1913 1914 1915 1916

Le dirigeable Schütte-Lanz SL1, 1911

Nez

Nacelle avant (pilotes et passagers)

•1911 DIRIGEABLE RIGIDE
Allemagne

Les plus grands aérostats furent les dirigeables rigides, faits de toile tendue sur une structure en aluminium ou en bois, et dont la sustentation était assurée par des ballonnets à hydrogène. Plus de 150 furent construits entre 1900 et 1938. Atteignant 200 m de long et propulsés par des moteurs à essence, ils assurèrent des transports de passagers sur des vols au long cours. Mais beaucoup finirent en feu, l'hydrogène étant très inflammable.

1915•
MONOPLAN MÉTALLIQUE *Allemagne*

Alors que la plupart des aéroplanes étaient construits en bois, l'Allemand Hugo Junkers conçut un monoplan entièrement métallique. Sa principale particularité était que la structure de l'aile faisait partie de celle du fuselage, ce qui permettait de s'affranchir des nombreux haubans jusque-là nécessaires pour la maintenir. Le gain en aérodynamisme était impressionnant : le Junkers J1 atteignit 170 km/h !

La peinture grise explique le nom de la machine.

LVG C. VI, 1917

•1917
CHASSEUR DE RECONNAISSANCE
Allemagne

Des milliers d'avions furent construits dès le début de la Première Guerre mondiale, en 1914. Beaucoup, comme ce LVG allemand, étaient des chasseurs de reconnaissance destinés à surveiller les lignes ennemies, et équipés de mitrailleuses pour se défendre ou attaquer d'autres avions.

Le *Junkers J1*, premier aéroplane métallique

Phare

•1916
CHAR D'ASSAUT
France/Grande-Bretagne

Lors de la Première Guerre mondiale, les ingénieurs français et britanniques construisirent des véhicules à chenilles capables de rouler sur n'importe quel terrain, même très accidenté. Afin de garder le secret sur cette arme nouvelle, les Britanniques l'appelèrent « tank » (citerne à eau) – nom qui lui est resté.

Char britannique, 1916

Autobus type « K », 1919-32

1919•
AUTOBUS *Grande-Bretagne*

En plaçant le chauffeur à côté du moteur et non plus derrière lui, les concepteurs du bus à deux étages AEC type « K » produisirent la première version du célèbre bus londonien. Parmi les 46 passagers, seuls ceux du bas – tous assis dans le sens de la marche – étaient protégés des intempéries. En outre, ce bus n'avait pas des pneus gonflables, mais des roues à bandages de caoutchouc.

« Silent Grey Fellow », 1912

Les pédales permettent de faire démarrer la machine, qui n'a ni démarreur ni boîte de vitesses.

•1912 HARLEY DAVIDSON *États-Unis*

Les motos que construisaient les trois frères Davidson, dans le Wisconsin en 1903, avaient déjà une allure très moderne. Moins chères que les voitures, les motos commencèrent à connaître un grand succès. Cette Harley Davidson monocylindre « Silent Grey Fellow » (« Grise et silencieuse ») atteignait 72 km/h.

Le paquebot *Mauretania*, 1907

Canot de sauvetage

Tourelle pivotante

•1915 CUIRASSÉ *Allemagne*

Les puissants cuirassés ont dominé les mers lors de la Première Guerre mondiale. Alors que les canons étaient jusque-là disposés sur les côtés du navire (*voir* **NAVIRE DE GUERRE, 1511**), les armes des cuirassés sont sur le pont et montées sur des tourelles pivotantes dans l'axe de la coque. Il est ainsi possible de tirer dans toutes les directions.

Le cuirassé allemand *Baden*, 1915

Destroyer américain, 1917

•1917 DESTROYER *États-Unis*

Pendant la Première Guerre mondiale, le rôle des destroyers était de protéger les autres navires des attaques ennemies, et en particulier des torpilles, souvent lancées depuis des sous-marins. Plus petits et plus rapides que les cuirassés, les destroyers étaient équipés de canons et de tubes lance-torpilles.

1910-1914

- •**1910** Le Français Henri Fabre construit le premier hydravion.
- •**1911** Aux États-Unis, l'axe des routes est marqué d'une ligne blanche.
- •**1911** Le premier service de poste aérienne fonctionne en Inde.
- •**1912** Le paquebot *Titanic*, le plus grand jamais construit, heurte un iceberg et coule. Il y a 1 513 morts.
- •**1912** Les Cadillac américaines sont désormais équipées de démarreurs électriques.
- •**1912** « SOS » devient le signal de détresse international.

- •**1913** Grâce au Transsibérien Moscou-Vladivostok, le voyage d'Europe en Extrême-Orient est considérablement raccourci.
- •**1913** Les modèles « T » de Ford sont assemblés à la chaîne.
- •**1913** Inauguration à New York de la « Grand Central Station », la plus grande gare du monde.
- •**1914** Apparition des premiers feux de signalisation à Cleveland, dans l'Ohio.
- •**1914** Ouverture du canal de Panama (82 km) qui relie l'Atlantique et le Pacifique.

1915-1919

Le naufrage du *Titanic*, 1912

- • **1915** Un Hawaiien introduit le surf en Australie, où ce sport devient très populaire.
- • **1915** Bombardements allemands sur l'Angleterre.
- • **1915** Les Junkers J1 allemands sont les premiers avions entièrement métalliques.
- • **1916** Certaines voitures américaines sont équipées d'essuie-glaces à air comprimé.
- • **1917** Achèvement d'une voie de chemin de fer en Australie. Une de ses portions, de 480 km de long, est rectiligne.

- • **1919** Les aviateurs britanniques John Alcock et Arthur Whitten-Brown réalisent la première traversée aérienne de l'Atlantique sans escale à bord de leur biplan *Vickers Vimy*, en partant de Terre-Neuve. Le voyage dure plus de 16 heures et s'achève par un atterrissage forcé dans un marais irlandais.
- • **1919** Mise en service de la première ligne aérienne internationale : un avion relie quotidiennement Paris à Londres.

1920   1925

| 1920 | 1921 | | 1924 | 1925 | 1926 | 1927 |

AÉRIEN

Pale du rotor

**Autogire
La Cierva, 1932**

La propulsion
est assurée
par une hélice
classique.

Fuselage en tubes d'acier
recouverts de toile

L'empennage relevé
assure la stabilité
en équilibrant la
portance du rotor.

**1923•
AUTOGIRE** *Espagne/Angleterre*
L'autogire est un petit avion sans ailes. Propulsé par
un moteur à hélice, il doit sa portance à un rotor qui
n'est pas motorisé comme celui d'un hélicoptère mais
tourne lorsque l'appareil avance. Le premier autogire
est dû à l'Espagnol Juan de La Cierva.

**•1926
HYDRAVION DE COURSE** *Italie*
Chaque année, des hydravions de course profilés
et puissants prenaient part au trophée Schneider,
grande compétition internationale. Le trophée
de 1926 fut remporté par le Macchi
M. 39 italien, dont le moteur
Fiat de 800 CV permettait
d'atteindre 420 km/h. Le
vainqueur en 1931 fut
le Supermarine S6B
anglais, précurseur
du célèbre Spitfire.
Voir **CHASSEURS
ET BOMBARDIERS,
1940-45.**

**Le Macchi M. 39,
vainqueur du trophée
Schneider en 1926.**

Avion de secours médical en brousse

**•1928
« DOCTEUR VOLANT »** *Australie*
Grâce à deux grandes inventions, l'avion
et l'émetteur-récepteur radio, les secours
médicaux ont pu être dispensés dans les
régions les plus inhospitalières du globe.
Depuis 1928, l'« Australia's Royal Flying
Doctor Service » assiste médicalement les
régions les plus isolées d'Australie. À bord
de son petit De Havilland DH-50,
le premier « flying doctor »,
le docteur Welch, traita
255 patients en une
seule année.

TERRESTRE

« Charabanc », 1926

**Camion Diesel Benz,
1923**

•1923 CAMION DIESEL
Allemagne
Le transport des marchandises par route
fut notablement amélioré par l'arrivée du
moteur Diesel, plus puissant et économique
que le moteur à essence. La compagnie Benz
commercialisa le premier camion à moteur
Diesel en 1924 ; son succès fut immédiat.

**1926•
AUTOCAR** *Grande-Bretagne*
Conçu à l'intention des gens qui n'avaient pas
de voiture, l'autocar permettait à tous de faire des
excursions motorisées. Cet autocar britannique,
qui reprit le nom français des anciennes voitures
à chevaux (« chars à bancs »), était équipé d'une
capote escamotable, bien utile en Angleterre !

**•1928
MOTO GUZZI « 500 S »**
Italie
Les motos connurent un grand succès
dans les années 1920 et 1930 car la
plupart des gens ne pouvaient s'offrir
des voitures. La société italienne
Moto Guzzi était très active dans les
années 1920. Sa monocylindre
500 était d'une conception
si avancée qu'elle
fut commercialisée
pendant plus de
50 ans. Le modèle
« S » était le bas
de gamme.

Moto Guzzi « 500 S », 1928

MARITIME

Hélices de
propulsion

•1924 PÉTROLIER *Grande-Bretagne*
La demande de pétrole s'accroissant, on vit apparaître
des pétroliers transportant du pétrole brut et des produits
dérivés. Comme tous les pétroliers construits jusqu'aux
années 1990, le *Wellfield* que l'on voit ici était un grand
réservoir flottant, divisé en plusieurs compartiments.

Les ballasts sont remplis d'eau
pour plonger, vidés pour faire
surface.

Le navire-école *Kobenhavn*, 1921

**Le pétrolier *Wellfield*,
1924**

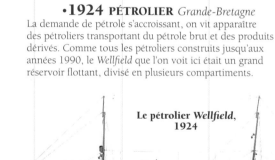

Les cabines et le
moteur Diesel
de 600 CV sont à
l'arrière du bateau.

**•1921
CINQ-MÂTS BARQUE** *Danemark*
Les derniers grands voiliers furent construits au début du xxe siècle.
La plupart étaient des trois-mâts barque à voiles carrées et coques
en acier, très économiques car maniables par un équipage réduit.
Le cinq-mâts barque danois *Kobenhavn*, un navire-école,
transportait occasionnellement du fret.

ÉVÉNEMENTS

1920-1929

•**1920** Le navire britannique *Fullagar*
est le premier construit avec des plaques
métalliques soudées, et non plus rivetées.
•**1920** Le monoplan de course *Dayton-Wright* est le premier à être doté d'un
train d'atterrissage rentrant.
•**1921** Aux États-Unis, la Duesenberg
modèle « A » est dotée de freins
hydrauliques. Toutes les voitures
en sont aujourd'hui équipées.
•**1921** Des chimistes américains
découvrent que l'ajout à l'essence de
plomb tétraéthyle permet de réduire
le « cliquetis » des moteurs dû à
l'explosion prématurée du mélange.

•**1923** Le « Bronx River Parkway »
est la première autoroute du monde :
on ne peut y pénétrer, et en sortir,
qu'à certains endroits.
•**1923** Le gouvernement allemand
entreprend la construction d'un
réseau autoroutier qui fera 3 300 km
en 1939.
•**1923** Le *Hermes* britannique et le
Hosho japonais sont les premiers
porte-avions du monde.
•**1924** Le premier vol autour du
monde est réalisé par deux biplans
Douglas. Ils parcourent 44 000 km
en 5 mois et demi.

**Robert Goddard
et sa fusée, 1926**

•**1926** L'Américain Robert Goddard
procède au lancement de la première
fusée à combustible liquide. Le vol
dure 2,5 secondes et la fusée atteint
une altitude de 12,5 m.
•**1927** Le pilote britannique Henry
Seagrave atteint 328 km/h au volant
de sa *Sunbeam*.
•**1927** Charles Lindbergh accomplit la
première traversée aérienne de
l'Atlantique en solitaire à bord de son
monoplan *Spirit of Saint Louis*.
•**1927** Les autobus américains « Fageol
Twin Coach » ont un avant plat et des
portes actionnées par le chauffeur.

•**1927** Ouverture du métro de Tokyo.
•**1928** Le Britannique Frank Whittle
travaille à son projet de réacteur, qui ne
verra le jour qu'en 1937.
•**1928** Un service de bus (équipés
de couchettes) transcontinental
fonctionne aux États-Unis.
•**1929** General Motors introduit sur ses
Cadillac la boîte de vitesses synchronisée.
Ce dispositif équipe aujourd'hui
toutes les voitures.
•**1929** Le dirigeable *Graf Zeppelin*
fait le tour du monde en 21 jours.
•**1929** Cinq millions de voitures sont
construites aux États-Unis chaque année.

1930　　1935

1930	1931	1932		1934	1935	1936	1937	1938	1939

Cabine de pilotage

Boeing 247D, 1933

Le train d'atterrissage se replie dans l'aile après le décollage

Moteur radial de 550 CV refroidi par air

L'hélice à pas variable permet d'adapter la puissance du moteur aux diverses phases du vol

•1933 BOEING 247 *États-Unis*

Avec l'apparition de nouveaux avions de ligne, l'aviation devint un moyen de transport comme les autres, spécialement aux États-Unis. Le bimoteur Boeing 247 D, avec 10 passagers à bord, parcourait 1 000 km en 4 heures seulement. Parmi ses principales innovations, un fuselage et des ailes entièrement métalliques, et un train rétractable réduisant beaucoup la traînée de l'appareil.

Heinkel 178, 1939

1939•
AVION À RÉACTION
Allemagne
La vitesse d'un avion à hélice étant limitée, les constructeurs se tournèrent vers un autre mode de propulsion, le réacteur. Le pionnier fut l'ingénieur allemand Hans von Ohain. Avec son Heinkel 178 expérimental, il réussit son premier vol en août 1939 et atteignit par la suite la vitesse extraordinaire de 755 km/h.

•1935 DOUGLAS DC3 *États-Unis*

Aucun avion n'a connu un succès comparable à celui du Douglas DC3, capable d'emporter 21 passagers à 270 km/h. En 1939, ces « appareils à tout faire » assuraient 90 % du trafic mondial de passagers. Le DC3, plus tard appelé « Dakota » ou « Skytrain » (train du ciel), fut utilisé pendant la Seconde Guerre mondiale et bien après.

Douglas DC3, toujours en service en 1981

Le capot abrite un puissant moteur de 4,5 litres de cylindrée.

Bus Greyhound, 1931

1934•
TRAIN AÉRODYNAMIQUE *États-Unis*

Des trains aux allures futuristes, tirés par des locomotives Diesel-électriques, apparurent sur les grandes lignes américaines. La vitesse et le confort de ces trains étaient réputés : Le « M-10001 » (à air conditionné) de l'Union Pacific relia San Francisco à New York dans le temps record de 57 heures.

Auburn « 851 Speedster » vue de profil, 1935

Pneus à flancs blancs

Emplacement pour les clubs de golf

Calandre en V

•1931
AUTOBUS LONG-COURRIERS *États-Unis*

Aux États-Unis, l'amélioration du réseau routier permit de mettre en place des liaisons par autobus entre les grandes villes. En 1931, le réseau de la compagnie Greyhound s'étendait sur 65 000 km, du Canada au Mexique. Depuis les années 1930, les bus sont restés un moyen de transport bon marché et confortable

« City of Salina », « M-10000 » Union Pacific, 1934

•1935 VOITURE DE SPORT *États-Unis*

Les voitures américaines des années 1930 sont célèbres pour leur puissance et leur style. Beaucoup d'entre elles, comme cette Auburn « 851 Speedster », étaient davantage des voitures d'apparat que des voitures utilitaires. Cette voiture de 6 m de long n'avait que deux places et un tout petit coffre – mais un emplacement réservé aux clubs de golf !

Auburn « 851 Speedster » vue de face, 1935

Le U-25, lancé en 1936, coulé en 1940

•1936
U-BOAT *Allemagne*

Les sous-marins se perfectionnèrent considérablement entre les deux guerres. Une flotte de U-boats (« Underseebooten ») allemands fut construite à partir du prototype que l'on voit ici. Le U-25, équipé de 14 torpilles, pouvait rester de longues heures en plongée. Il devait faire surface tous les 125 km pour renouveler sa réserve d'air.

1939•
CUIRASSÉ *Allemagne*

Avec ses huit canons de gros calibre, le *Bismarck* sema la terreur dans l'Atlantique au début de la Seconde Guerre mondiale. Lancé en 1939, il fut coulé par des avions et des torpilles britanniques en 1941. À la fin de la guerre, ce type de navire fut remplacé par des porte-avions.
Voir PORTE-AVIONS, 1946.

Le Bismarck, 1939

La tourelle est une plate-forme d'observation quand le sous-marin est en surface.

Des ailerons latéraux permettent d'abaisser ou de relever le nez du sous-marin.

•1930 REMORQUEUR À VAPEUR *Europe*

Les remorqueurs sont de petits bateaux très puissants qui permettent aux grands navires de manœuvrer dans les ports, poussent des trains de péniches sur les fleuves ou sont équipés de lances à incendie. La grosse cheminée montre la puissance du moteur à vapeur (ou Diesel) qui occupe la majeure partie de la coque.

Remorqueur à vapeur, v. 1930

1930-1939

v. **1930** On voit apparaître sur les routes de gros poids-lourds à 6 ou 8 roues.

v. **1930** Les locomotives à vapeur commencent à faire place aux locomotives électriques et Diesel.

•**1930** Les Allemands construisent une base de lancement près de Berlin pour tester des fusées à combustibles liquides.

•**1930** Amy Johnson réalise un vol d'Angleterre en Australie en 19 jours.

•**1931** L'hydravion britannique Supermarine S6B remporte le trophée Schneider à la vitesse de 547,3 km/h.

•**1932** Inauguration du pont de Sydney. Son tablier suspendu à une arche d'acier porte une voie ferrée, une route et deux passages pour piétons.

•**1932** Amelia Earhart est la première aviatrice à traverser l'Atlantique en solitaire.

•**1933** Le bimoteur Boeing 247 est le premier long-courrier moderne.

•**1934** Un train Diesel-électrique américain, le *Pioneer Zephyr*, relie Denver à Chicago sans aucun arrêt, soit une distance de 1 633 km.

Incendie du dirigeable géant Hindenburg à l'atterrissage, 1937

•**1935** Apparition des premiers parcmètres dans les rues d'Oklahoma City, aux États-Unis.

•**1935** Le Boeing B-17, « forteresse volante », est le premier bombardier quadrimoteur.

•**1935** Ouverture du métro de Moscou.

•**1935** Le paquebot français *Normandie* traverse l'Atlantique en 4 jours et 3 heures.

•**1935** L'Écossais Robert Watson-Watt invente le radar. Il permet de détecter les avions et les bateaux, et de rendre la navigation plus sûre.

•**1935** Premier vol du Douglas DC3.

•**1936** En Allemagne, premiers prototypes de la « coccinelle » Volkswagen.

•**1937** Inauguration, à San Francisco, du Golden Gate. Il restera le plus long pont suspendu du monde pendant 30 ans.

•**1937** Incendie du dirigeable *Hindenburg* dans le New Jersey.

•**1938** Le Boeing 307 possède une cabine pressurisée.

•**1939** Le Heinkel 178 allemand est le premier avion à réaction.

1940

1940	1941

1945

1945	1946	1947	1948	1949

Spitfire Supermarine et Messerschmitt Me 109

•1940-45
CHASSEURS ET BOMBARDIERS

Lors des multiples combats aériens de la Seconde Guerre mondiale, le succès des chasseurs tenait davantage aux performances de leurs moteurs qu'à l'habileté de leurs pilotes. Les Spitfire britanniques étaient équipés de moteurs Rolls-Royce, les Messerschmitt allemands de moteurs Daimler-Benz. Quant aux bombardiers, ils étaient dotés de moteurs surpuissants afin de pouvoir embarquer les tonnes de bombes nécessaires au pilonnage des cibles militaires. La forteresse volante Boeing B-17 avait quatre moteurs Wright Cyclone de 1200 CV.

Forteresse volante Boeing B-17

•1945 HÉLICOPTÈRE
États-Unis
Les hélicoptères modernes sont tous dérivés du prototype construit par l'Américain d'origine russe Igor Sikorsky en 1942. Le rotor de son XR-4 était doté de pales orientables qui permettaient de faire avancer ou reculer l'appareil. Le rotor de queue, utilisé comme gouvernail, s'oppose à la rotation du fuselage.

Hélicoptère Sikorsky R-4, 1945

Siège du pilote

Train d'atterrissage à roue unique

Emplacement du moteur

•1943 LOCKHEED CONSTELLATION *États-Unis*
D'abord destiné au transport de troupes, le quadrimoteur Constellation reprit du service comme avion de ligne après la guerre. Avec un rayon d'action de 3 200 km, il pouvait emporter 81 passagers à 550 km/h. Cet avion joua un rôle important dans le développement de l'aviation de ligne dans les années 50.

Lockheed Constellation brésilien, 1949

Ailerons purement décoratifs, dans le style aviation

1941•
« BIG BOY »
États-Unis
Pour tirer les grands convois de marchandises à travers les montagnes Rocheuses, la compagnie Union Pacific fit construire les plus grosses locomotives à vapeur du monde. Ces « Big Boys » de 40 m de long étaient aussi rapides que puissantes, puisqu'elles atteignaient 130 km/h. Leurs cheminées crachaient une fumée très noire, chargée de poussières de charbon.

Locomotive « Big Boy », années 1940

•1944 JEEP *État-Unis*
La jeep (de « GP » pour « General Purpose », « tous usages ») de l'armée américaine a été conçue en tant que véhicule de reconnaissance mais très vite utilisée comme ambulance, auto-mitrailleuse, et pour bien d'autres usages. Très légères, les jeeps peuvent être parachutées ou débarquées d'une péniche sur une plage.

Débarquement d'une jeep, 1944

Pare-chocs chromé

2 CV Citroën, 1949

1949•
2 CV CITROËN
France
Avec son petit moteur et sa carrosserie de tôle ondulée, la célèbre 2CV Citroën était une petite voiture robuste, spacieuse et économique. Elle a transporté des générations de familles, en France et dans le monde entier.

1941•
LIBERTY SHIP *États-Unis*
Pendant la Seconde Guerre mondiale, plus de 2 700 « Liberty ships » furent construits aux États-Unis pour remplacer les navires coulés par les sous-marins allemands et japonais. Tous conçus selon le même plan, ces bateaux étaient faits en pièces préfabriquées et dotés d'une coque en acier soudé. L'un d'eux fut construit en seulement 14 jours.

Le « Water Weasel » amphibie de Studebaker, 1944

•1944 VÉHICULE AMPHIBIE *États-Unis*
En ajoutant une carrosserie en forme de coque, des caissons étanches et deux gouvernails à un de ses véhicules militaires, le « Weasel », la firme Studebaker fabriqua un véhicule capable de rouler et de flotter. Le « Water Weasel », équipé de chenillettes en caoutchouc, atteignait 58 km/h sur terre, mais seulement 6 km/h sur l'eau.

La plupart des avions sont dotés d'ailes repliables.

Antenne radar

Liberty ship, 1941

Grue de chargement

1946•
PORTE-AVIONS
Grande-Bretagne
Le porte-avions *Eagle* servit dans la marine britannique pendant 26 ans. De tels navires ont modifié les données des combats navals. Au décollage, les avions sont propulsés par une catapulte ; ils sont freinés à l'appontage, grâce à une crosse fixée sous le fuselage, par des « brins » extensibles.

Les avions sont grutés hors de l'eau en cas d'accident.

Le porte-avions *Eagle* en 1964

1940-1949

•**1940** Le VS-300 d'Igor Sikorsky est le premier hélicoptère moderne.
•**1940** Construction d'un véhicule léger pour l'armée américaine : la jeep.

Autoneige B-12, v. 1940

•**1941** Mise en service des locomotives « Big Boy » de l'Union Pacific.
•**1941** Au Canada, la compagnie Bombardier lance la B-12, la plus célèbre des autoneiges.
•**1941** Lancement aux États-Unis des premiers « Liberty ships ».
•**1942** Le chasseur à réaction allemand Messerschmitt Me 262 effectue son premier vol, suivi en 1943 par le Gloster Meteor britannique.
•**1944** L'Allemagne lance le premier des quelque 2 000 « V2 », missiles qui feront des dégâts considérables pendant la guerre.

« V2 », missile à combustible liquide, 1944

•**1945** Un bombardier B29 américain lâche une bombe atomique sur Hiroshima.
•**1946** Les premières Vespas (« guêpes » en italien) apparaissent en Italie.
•**1946** Une fusée américaine lancée du Nouveau-Mexique atteint l'altitude de 80 km. On procède aussi à des expériences avec des « V2 » pris aux Allemands. *Voir* ÉVÉNEMENTS, 1944.
•**1947** La demande en pétrole s'accroît et l'on exploite des gisements dans le golfe du Mexique.

•**1947** Le capitaine « Chuck » Yeager passe le mur du son à bord de l'avion-fusée Bell X1. À 12 800 m d'altitude, il atteint la vitesse de 1 078 km/h, supérieure à celle du son à cette altitude.
•**1947** Soichiro Honda adapte des moteurs de récupération à des bicyclettes. En 1960, la compagnie Honda sera la première productrice mondiale de motos.
•**1949** Un bombardier américain B-50A effectue le tour du monde sans escale en 94 heures. Il est ravitaillé en vol.
•**1949** Lancement en France de la 2 CV Citroën, qui sera vendue à des millions d'exemplaires à travers le monde.

1950　　　　　　　1955

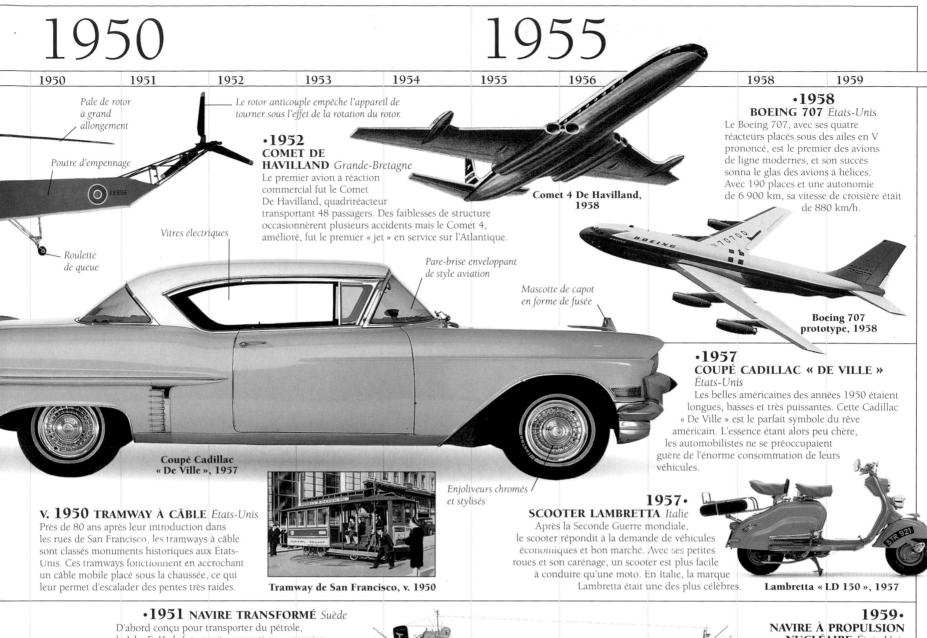

Pale de rotor à grand allongement

Poutre d'empennage

Roulette de queue

Le rotor anticouple empêche l'appareil de tourner sous l'effet de la rotation du rotor.

•1952 COMET DE HAVILLAND *Grande-Bretagne*
Le premier avion à réaction commercial fut le Comet De Havilland, quadriréacteur transportant 48 passagers. Des faiblesses de structure occasionnèrent plusieurs accidents mais le Comet 4, amélioré, fut le premier « jet » en service sur l'Atlantique.

Comet 4 De Havilland, 1958

•1958 BOEING 707 *États-Unis*
Le Boeing 707, avec ses quatre réacteurs placés sous des ailes en V prononcé, est le premier des avions de ligne modernes, et son succès sonna le glas des avions à hélices. Avec 190 places et une autonomie de 6 900 km, sa vitesse de croisière était de 880 km/h.

Boeing 707 prototype, 1958

Vitres électriques

Pare-brise enveloppant de style aviation

Mascotte de capot en forme de fusée

•1957 COUPÉ CADILLAC « DE VILLE » *États-Unis*
Les belles américaines des années 1950 étaient longues, basses et très puissantes. Cette Cadillac « De Ville » est le parfait symbole du rêve américain. L'essence étant alors peu chère, les automobilistes ne se préoccupaient guère de l'énorme consommation de leurs véhicules.

Coupé Cadillac « De Ville », 1957

Enjoliveurs chromés et stylisés

V. 1950 TRAMWAY À CÂBLE *États-Unis*
Près de 80 ans après leur introduction dans les rues de San Francisco, les tramways à câble sont classés monuments historiques aux États-Unis. Ces tramways fonctionnent en accrochant un câble mobile placé sous la chaussée, ce qui leur permet d'escalader des pentes très raides.

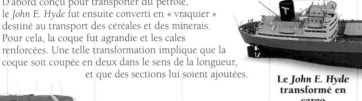

Tramway de San Francisco, v. 1950

1957• SCOOTER LAMBRETTA *Italie*
Après la Seconde Guerre mondiale, le scooter répondit à la demande de véhicules économiques et bon marché. Avec ses petites roues et son carénage, un scooter est plus facile à conduire qu'une moto. En Italie, la marque Lambretta était une des plus célèbres.

Lambretta « LD 150 », 1957

•1951 NAVIRE TRANSFORMÉ *Suède*
D'abord conçu pour transporter du pétrole, le *John E. Hyde* fut ensuite converti en « vraquier » destiné au transport des céréales et des minerais. Pour cela, la coque fut agrandie et les cales renforcées. Une telle transformation implique que la coque soit coupée en deux dans le sens de la longueur, et que des sections lui soient ajoutées.

Ascenseur d'accès à la piste d'envol

Batterie de défense anti-aérienne

Le John E. Hyde transformé en cargo

La cargaison est répartie dans des cales séparées

•1955 AÉROGLISSEUR *Grande-Bretagne*
Les aéroglisseurs « volent » sur un coussin d'air. C'est l'ingénieur britannique Christopher Cockerell, en 1955, qui construisit le premier prototype propulsé par un moteur d'avion. Le premier véritable aéroglisseur, le SR-N1, fut lancé en 1959.

Aéroglisseur SR-N1, 1959

1959• NAVIRE À PROPULSION NUCLÉAIRE *États-Unis*
Premier cargo propulsé par un réacteur nucléaire, le *Savannah* avait assez de combustible pour naviguer pendant 3 ans et demi. La chaleur générée par la fission des atomes dans le réacteur produit la vapeur qui alimente les turbines. Peu de ces navires ont été construits car ils sont très chers à construire et à entretenir.

Le Savannah, lancé en 1959

1950-1954	1955-1959

•1951 La Chrysler Imperial est la première voiture à être dotée d'une direction assistée.
•1952 Mise en service du premier avion de ligne à réaction, le Comet 1 De Havilland.
•1953 La Chevrolet Corvette a une carrosserie en fibre de verre renforcée.
•1953 L'ancêtre de la planche

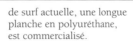

Surf dans les années 50

de surf actuelle, une longue planche en polyuréthane, est commercialisé.
•1953 Le premier avion de ligne équipé de turbopropulseurs (fonctionnant avec une turbine à gaz), le Vickers Viscount, entre en service.
•1954 En Grande-Bretagne, une étrange machine surnommée « baldaquin volant » démontre que le décollage et l'atterrissage verticaux sont possibles..

•1955 Le premier sous-marin nucléaire est américain et s'appelle *Nautilus*.
•1956 Le premier service régulier d'hydroglisseurs relie l'Italie à la Sicile.
•1957 *Spoutnik 1* est le premier satellite artificiel à faire le tour de la Terre. Il sera suivi de *Spoutnik 2* avec à son bord la chienne Laïka, le premier être vivant dans l'espace.
•1958 Commercialisation de l'Austin-Mini.
•1958 Mise en service du Boeing 707, le plus célèbre des avions de ligne.

•1959 Le constructeur suédois Volvo propose des ceintures de sécurité en option sur ses modèles.
•1959 En Angleterre, Christopher Cockerell conçoit le premier aéroglisseur.
•1959 Ouverture de la voie navigable du Saint-Laurent, qui permet aux navires d'accéder aux grands lacs américains, à 3 800 km de la mer.
•1959 Le brise-glace nucléaire soviétique *Lenin* entre en service.

Laïka – le premier être vivant dans l'espace, 1957

1960-2000 Un monde en mouvement

Fusée Vostok

LE VOYAGE SPATIAL EST LONGTEMPS resté un thème de bandes dessinées et de science-fiction. Puis, dans les années 60, le rêve est soudain devenu réalité. Un cosmonaute russe a fait le tour de la Terre en 1961 et, huit ans plus tard, des astronautes américains ont marché sur la Lune. Mais les vols spatiaux habités se sont révélés très coûteux : après 1972, aucune expédition vers la Lune ou les autres planètes n'a été organisée. Les spationautes, dans la navette spatiale ou la station orbitale *Mir*, sont restés au voisinage de la Terre. Les satellites ont considérablement amélioré les communications entre les continents tandis que des sondes robotisées nous ont transmis d'extraordinaires images des autres planètes. Sur Terre, les véhicules à moteur se sont rapidement répandus et l'arrivée des avions gros-porteurs a amplifié le succès de l'aviation commerciale.

Transport et société de consommation

Après 1960, le transport des marchandises de toutes sortes s'est accru en réponse à la demande croissante des consommateurs pour des produits (voitures et appareils électriques) le plus souvent fabriqués dans des pays étrangers. La nourriture, de même, a été de plus en plus souvent importée, alors qu'au début du siècle on ne mangeait que des fruits et des légumes du terroir. Les gros cargos se sont ainsi multipliés, comme les avions gros-porteurs et les énormes poids-lourds.

L'ÈRE DE L'ESPACE

En 1969, des millions de téléspectateurs ont suivi en direct les premiers pas de l'homme sur une autre planète. La mission *Apollo 11* d'exploration de la Lune a eu lieu quelques années après que la fusée soviétique *Vostok 1* eut mis sur orbite Youri Gagarine, le premier homme dans l'espace. On lança bientôt des stations spatiales, puis des sondes robotisées qui atterrirent sur Mars. Les images de la Terre prises depuis l'espace ont rappelé à tous la petitesse et la fragilité de notre planète.

Buzz Aldrin marchant sur la Lune, Mission Apollo 11, 1969

Les panneaux solaires produisent l'électricité nécessaire au fonctionnement des appareils de bord.

Un vaisseau Soyouz s'amarre à la station spatiale Mir.

Six engins spatiaux peuvent s'amarrer en même temps. Les cosmonautes entrent et sortent de la station en passant par un sas.

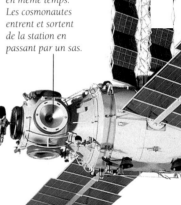

Station spatiale soviétique *Soyouz*, premier lancement en 1986

UN MONDE EN MUTATION : 1960-2000

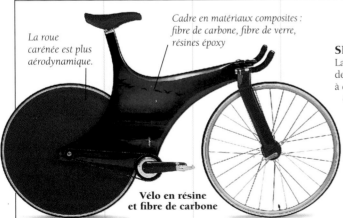

La roue carénée est plus aérodynamique.

Cadre en matériaux composites : fibre de carbone, fibre de verre, résines époxy

Vélo en résine et fibre de carbone

NOUVEAUX MATÉRIAUX

Le sport est un grand consommateur de matériaux de haute technologie. Les vélos de course ont des cadres en fibre de verre renforcée de fibre de carbone – matériau deux fois plus rigide que l'acier. Les roulements à bille sont en titane, métal aussi résistant que l'acier mais plus léger. Coques de voiliers et voitures de course sont aussi réalisées en matériaux composites, tandis que les skis sont revêtus de Téflon afin d'améliorer la glisse.

Train suédois à inclinaison variable, « X-2000 », 1990

SÉCURITÉ

La croissance du nombre des accidents de la route a conduit les constructeurs à doter les voitures de systèmes de protection efficaces, comme les ceintures de sécurité ou les Airbags qui se gonflent instantanément en cas de choc. Les ingénieurs conçoivent des routes plus sûres, et les législateurs des lois plus sévères contre les mauvais conducteurs.

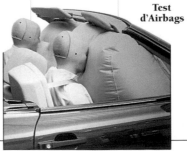

Test d'Airbags

RETOUR DU RAIL

Un temps supplanté par la voiture et l'avion, le rail fait un retour remarqué. Le TGV français et le Shinkansen japonais, roulant sur des voies spécialement aménagées, offrent une vitesse et un confort analogues à ceux des avions. D'autres trains rapides circulant sur des voies normales s'inclinent automatiquement vers l'intérieur du virage.

GRANDS CHANTIERS

De grands projets sont lancés afin d'améliorer les infrastructures – autoroutes, tunnels, aéroports ou ponts. Certains, comme le tunnel sous la Manche, impliquent des milliers d'ouvriers et des millions de tonnes de béton. On construit des ponts de plus d'un kilomètre de long et des tunnels de 50 km. Par comblage de zones peu profondes, les aéroports sont souvent gagnés sur la mer.

Creusement du tunnel sous la Manche

Plus de voitures – plus de problèmes

L'automobile est devenue un élément indispensable du mode de vie occidental. Pourtant, dans les années 80, il est apparu que la liberté de voyager offerte par les voitures ne va pas sans inconvénients. L'accroissement du trafic routier s'accompagne d'embouteillages, de bruit et de pollution tandis que les campagnes disparaissent sous le béton des autoroutes. On estime que la quantité de voitures aura plus que doublé en 2025, mais on ne sait comment réagira l'atmosphère de la Terre à cet accroissement de la pollution, ni si les réserves de pétrole seront suffisantes.

Il est en tout cas certain que l'automobiliste du XXIe siècle devra radicalement changer d'attitude.

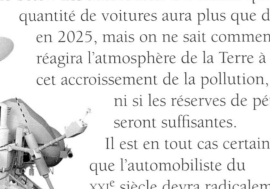

Antenne parabolique

Caméra de télévision

La sonde *Viking 1*, qui a atterri sur Mars en 1976

Un voyage sans fin ?

Bien loin de ces problèmes terre à terre, une petite sonde spatiale poursuit un voyage qui ne s'arrêtera sans doute jamais : *Voyager 2*, lancée en 1977, est en train de quitter le système solaire après avoir survolé Jupiter, Saturne, Uranus et Neptune.

Son extraordinaire voyage d'exploration dans les profondeurs de l'espace devrait durer des millions d'années...

Station spatiale *Mir*, lancée en 1986

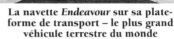

LES TECHNOLOGIES

LES FUSÉES

La fusée la plus simple est un ballon d'enfant, gonflé puis lâché, propulsé (vers l'avant) à travers la pièce par l'air comprimé qui s'échappe (vers l'arrière) de son ouverture. Les vraies fusées, elles, éjectent des gaz brûlés par leur tuyère, à une vitesse telle qu'un moteur fusée est des milliers de fois plus puissant que tout autre moteur de taille comparable. Comme il n'y a pas d'air dans l'espace, les fusées emportent de l'oxygène, ou un produit oxydant, qui est mélangé avec le combustible. La navette spatiale et la fusée Ariane utilisent de l'hydrogène et de l'oxygène liquides.

La navette *Endeavour* sur sa plate-forme de transport – le plus grand véhicule terrestre du monde

LES RÉACTEURS

Comme un moteur de fusée, un réacteur éjecte vers l'arrière des gaz brûlés, mais, contrairement à lui, il fonctionne avec l'oxygène de l'air. Aspiré par une turbine, l'oxygène est comprimé dans la chambre de combustion où il est mélangé avec du carburant avant d'être brûlé. Les turboréacteurs sont les réacteurs les plus répandus ; une partie de l'air qu'ils aspirent est déviée vers l'extérieur du réacteur, ce qui améliore la poussée et réduit le bruit.

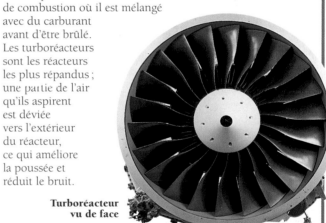

Turboréacteur vu de face

GRANDS FONDS

Tandis que les astronautes s'aventurent dans l'espace, d'autres explorateurs tentent de percer le secret des profondeurs océaniques. Leurs bathyscaphes sont conçus pour supporter l'énorme pression de l'eau. En 1960, Jacques Piccard et Donald Walsh ont atteint la profondeur record de 11 km dans leur bathyscaphe *Trieste*. D'autres expéditions ont trouvé sous les mers des gisements de minéraux et de pétrole, cartographié les fonds et trouvé des espèces vivantes inconnues.

Voiture solaire

CRISE DE L'ÉNERGIE

Il y avait, en 1990, 400 millions d'automobiles dans le monde. Les ressources sont en voie d'épuisement et la pollution atteint des niveaux inquiétants. Les chercheurs tentent de trouver un remplaçant au moteur à explosion, mais l'énergie solaire et les voitures électriques sont loin d'avoir les performances et le rendement requis.

NOUVEAUX NAVIRES

De nouveaux types de navires sont construits afin de satisfaire à des critères particuliers. Les ferries « Ro-Ro », dotés d'une porte à chaque extrémité, sont surtout destinés aux touristes. Près des côtes, aéro- et hydroglisseurs assurent des liaisons rapides tandis qu'au large les pétroliers géants ont détrôné les paquebots.

L'aéroport de Washington, États-Unis

AVIONS POUR TOUS

Avec la mise en service des gros avions de ligne dans les années 1970, voyager en avion est devenu abordable. Depuis, les aéroports ont été notablement agrandis, ce qui ne les empêche pas d'être souvent saturés. Les aéroports sont de véritables petites villes, avec église, magasins, restaurants et hôtels.

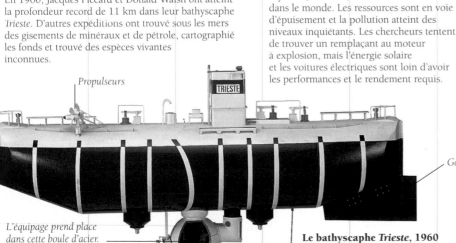

Propulseurs

TRIESTE

Gouvernail

L'équipage prend place dans cette boule d'acier.

Le bathyscaphe *Trieste*, 1960

Hydroglisseur, 1980

1960

AÉRIEN ET SPATIAL

1960   1961   1964

•1961•
AVION À DÉCOLLAGE VERTICAL
Grande-Bretagne

Capable de décoller à la verticale et de faire du vol stationnaire, le Hawker-Siddeley P. 1127 pouvait aussi voler bien plus vite qu'un hélicoptère. Développé à partir de cet avion, le chasseur Harrier entra en service en 1969. Grâce à ses réacteurs orientables, il peut s'arrêter en plein vol et faire demi-tour.

Ailes inclinées vers le bas

Hawker Harrier GR5, 1989

Réservoir largable

Entrée d'air

Tuyère orientable à l'arrière du réacteur

•1964 AVION À GÉOMÉTRIE VARIABLE
États-Unis

Il est difficile de concevoir un avion supersonique ayant une bonne maniabilité à basse vitesse. Le F-111 de General Dynamics résout ce problème grâce à ses ailes pivotantes. Dépliées vers l'avant à basse vitesse, elles se replient vers l'arrière en vol supersonique. Leur surface est alors moindre et leur aérodynamisme bien meilleur.

F-111 ailes déployées

Vostok 1, 1961

F-111 ailes partiellement repliées

•1961 VOSTOK 1 *URSS*

Le 12 avril 1961, l'Union soviétique étonna le monde entier en plaçant le premier homme sur orbite. À bord de son vaisseau *Vostok 1*, Youri Gagarine fit le tour de la Terre en 108 minutes. À son retour sur Terre, il s'éjecta à 7 000 m d'altitude et atterrit sans dommage en parachute.

TERRESTRE

Projecteur de toit

Spyder NSU, 1964

•1964 SHINKANSEN *Japon*

Le Shinkansen (« Nouveau train à grande vitesse ») japonais a été inauguré sur la ligne Tokyo-Osaka en 1964, et a atteint la vitesse de 210 km/h. Silencieux et confortables, ses wagons sont conçus dans le style « aviation ».
Voir TGV, 1981.

Avec un centre de gravité très bas et des roues placées aux quatre coins du châssis, la Mini est très maniable.

La voile est inclinée d'un côté ou de l'autre selon l'allure.

Aviron de gouverne

•1963 SPYDER NSU *Allemagne*

La « Spyder » NSU fut la première voiture à être dotée d'un moteur rotatif. Petit, léger et puissant, ce moteur n'a pas de pistons ni de cylindre, mais une pièce triangulaire tournant dans une chambre ovale à trois côtés.

•1963 AUSTIN MINI-COOPER
Grande-Bretagne

Cette voiture était la version sportive de la classique Austin Mini, lancée en 1958. La Mini est la première traction avant dont le moteur et la boîte de vitesses sont montés transversalement. Cette disposition est aujourd'hui adoptée par nombre de voitures familiales.

Austin Mini-Cooper S, 1963

Le Shinkansen devant le mont Fuji

MARITIME

Le France, 1962

•1963 BATEAU-FEU *Grande-Bretagne*

Dépourvus de moteur, les bateaux-feux sont remorqués, puis ancrés, sur des lieux dangereux pour la navigation – un banc de sable par exemple. Un générateur de bord produit l'électricité nécessaire pour le phare et l'équipage. De plus en plus souvent automatisés, les bateaux-feux sont contrôlés par radio depuis la côte.

La dérive est abaissée pour remonter au vent.

Jangada

La coque est faite de troncs liés ou chevillés ensemble.

v. 1960
JANGADA *Brésil*

L'ancêtre de la planche à voile est sans doute la jangada, radeau de bois léger toujours utilisé par les pêcheurs du nord-est du Brésil. Ce type de bateau, rapide et capable de s'aventurer en haute mer, existe depuis au moins quatre siècles.
Voir PLANCHE À VOILE, 1977.

Rouleau pour tirer le bateau au sec

Lorsqu'ils dorment, les pêcheurs s'attachent pour ne pas être enlevés par-dessus bord.

•1962 FRANCE *France*

Avec ses 66 000 tonnes et ses 301 m, le *France* a été le plus long navire du monde. Il pouvait transporter plus de 2 000 passagers entre l'Europe et l'Amérique. Soumis à la concurrence des lignes aériennes, le *France* fut vendu à une compagnie norvégienne ; il poursuit, sous le nom de *Norway*, une carrière touristique.

Bateau-feu britannique, 1963

ÉVÉNEMENTS

1960-1964

- **1960** L'ensemble des compagnies aériennes mondiales transporte 100 millions de passagers par an.
- **1960** Le sous-marin nucléaire américain *Triton* fait le tour du monde en 85 jours sans faire surface.
- **1961** Le Hawker P. 1127 réussit son premier décollage vertical (ainsi que l'atterrissage).
- **1961** à bord de *Vostok 1*, le Soviétique Youri Gagarine devient le premier cosmonaute.
- **1961** L'Américain Alan Shepard accomplit un vol dans l'espace de 15 minutes.

- **1961** Le président américain John Kennedy annonce que son pays enverra des hommes sur la Lune avant 1970.
- **1962** John Glenn est mis sur orbite à bord de la capsule *Friendship 7*.
- **1962** En Angleterre, Alex Moulton dépose le brevet d'une bicyclette pliable à petites roues.
- **1963** Engouement pour la planche à roulettes.
- **1963** La NSU Spyder est la première voiture à être équipée d'un moteur rotatif Wankel.
- **1963** Valentina Tereshkova est la première femme cosmonaute.

Fans de la planche à roulettes, Italie, début des années 60

Valentina Tereshkova, la première femme dans l'espace, 1963

- **1964** Mise en service des trains rapides japonais.
- **1964** L'Américaine Jerrie Mock est la première aviatrice à effectuer le tour du monde en solitaire.
- **1964** L'Anglais Donald Campbell porte le record de vitesse terrestre à 648 km/h avec sa *Bluebird II*, et le record de vitesse sur l'eau à 445 km/h.
- **1964** à bord de *Voskhod 1*, trois cosmonautes soviétiques font 17 fois le tour de la Terre.
- **1964** Le Lockheed SR-71A Blackbird vole à trois fois la vitesse du son.
Voir ÉVÉNEMENTS, 1976.

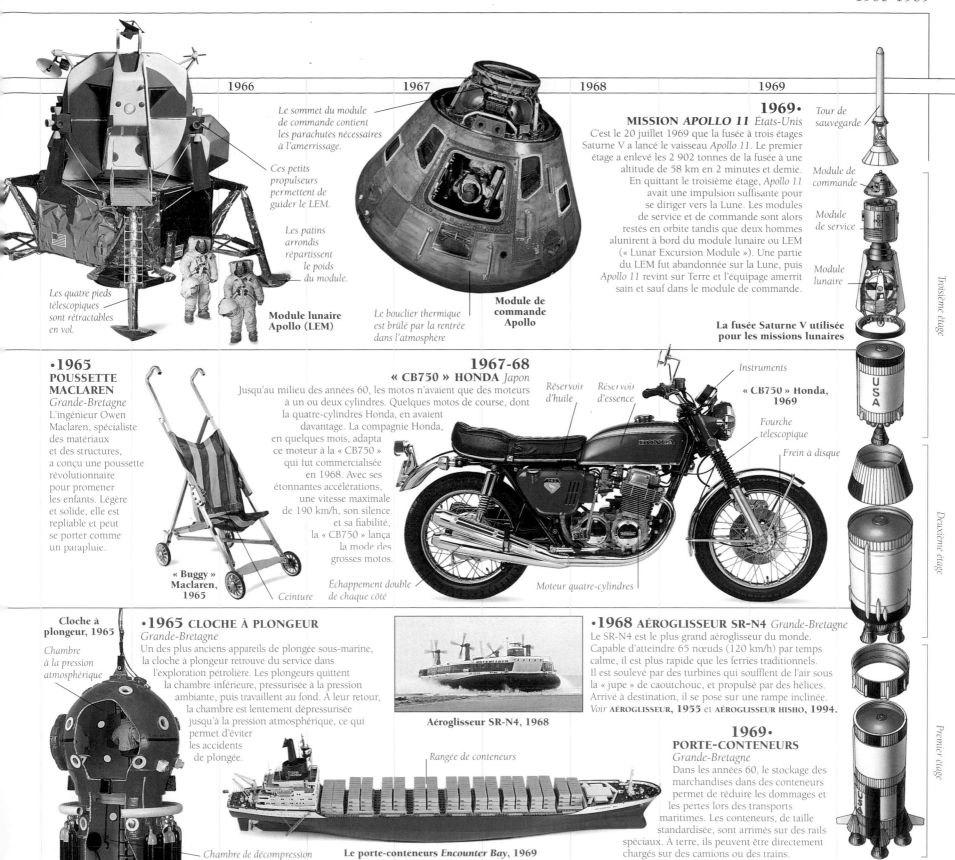

1966   1967   1968   1969

Le sommet du module de commande contient les parachutes nécessaires à l'amerrissage.

Ces petits propulseurs permettent de guider le LEM.

Les patins arrondis répartissent le poids du module.

Les quatre pieds télescopiques sont rétractables en vol.

Module lunaire Apollo (LEM)

Le bouclier thermique est brûlé par la rentrée dans l'atmosphère

Module de commande Apollo

1969•
MISSION *APOLLO 11* *États-Unis*
C'est le 20 juillet 1969 que la fusée à trois étages Saturne V a lancé le vaisseau *Apollo 11*. Le premier étage a enlevé les 2 902 tonnes de la fusée à une altitude de 58 km en 2 minutes et demie. En quittant le troisième étage, *Apollo 11* avait une impulsion suffisante pour se diriger vers la Lune. Les modules de service et de commande sont alors restés en orbite tandis que deux hommes alunirent à bord du module lunaire ou LEM (« Lunar Excursion Module »). Une partie du LEM fut abandonnée sur la Lune, puis *Apollo 11* revint sur Terre et l'équipage amerrit sain et sauf dans le module de commande.

Tour de sauvegarde

Module de commande

Module de service

Module lunaire

La fusée Saturne V utilisée pour les missions lunaires

Troisième étage

Deuxième étage

Premier étage

USA

•1965
POUSSETTE MACLAREN
Grande-Bretagne
L'ingénieur Owen Maclaren, spécialiste des matériaux et des structures, a conçu une poussette révolutionnaire pour promener les enfants. Légère et solide, elle est repliable et peut se porter comme un parapluie.

« Buggy » Maclaren, 1965

Ceinture

1967-68
« CB750 » HONDA *Japon*
Jusqu'au milieu des années 60, les motos n'avaient que des moteurs à un ou deux cylindres. Quelques motos de course, dont la quatre-cylindres Honda, en avaient davantage. La compagnie Honda, en quelques mois, adapta ce moteur à la « CB750 » qui fut commercialisée en 1968. Avec ses étonnantes accélérations, une vitesse maximale de 190 km/h, son silence et sa fiabilité, la « CB750 » lança la mode des grosses motos.

Réservoir d'huile

Réservoir d'essence

Instruments

« CB750 » Honda, 1969

Fourche télescopique

Frein à disque

Moteur quatre-cylindres

Échappement double de chaque côté

Cloche à plongeur, 1965

Chambre à la pression atmosphérique

•1965 CLOCHE À PLONGEUR
Grande-Bretagne
Un des plus anciens appareils de plongée sous-marine, la cloche à plongeur retrouve du service dans l'exploration pétrolière. Les plongeurs quittent la chambre inférieure, pressurisée à la pression ambiante, puis travaillent au fond. À leur retour, la chambre est lentement dépressurisée jusqu'à la pression atmosphérique, ce qui permet d'éviter les accidents de plongée.

Chambre de décompression

•1968 AÉROGLISSEUR SR-N4 *Grande-Bretagne*
Le SR-N4 est le plus grand aéroglisseur du monde. Capable d'atteindre 65 nœuds (120 km/h) par temps calme, il est plus rapide que les ferries traditionnels. Il est soulevé par des turbines qui soufflent de l'air sous la « jupe » de caoutchouc, et propulsé par des hélices. Arrivé à destination, il se pose sur une rampe inclinée.
Voir **AÉROGLISSEUR, 1955** *et* **AÉROGLISSEUR HISHO, 1994.**

Aéroglisseur SR-N4, 1968

Rangée de conteneurs

1969•
PORTE-CONTENEURS
Grande-Bretagne
Dans les années 60, le stockage des marchandises dans des conteneurs permet de réduire les dommages et les pertes lors des transports maritimes. Les conteneurs, de taille standardisée, sont arrimés sur des rails spéciaux. À terre, ils peuvent être directement chargés sur des camions ou des trains.

Le porte-conteneurs *Encounter Bay*, 1969

Sas de sortie

1965-1969

•**1965** La plupart des cargaisons sont désormais placées dans des conteneurs de taille standardisée, et transportées par des porte-conteneurs.
•**1965** Sur son *Spirit of America* à moteur à réaction, l'Américain Craig Breedlove porte le record de vitesse terrestre à 967 km/h.
•**1965** À l'aéroport de Heathrow, à Londres, un avion de ligne accomplit le premier atterrissage entièrement automatique.
•**1966** Aux États-Unis, une controverse à propos des accidents de voitures amène les constructeurs à se préoccuper davantage de la sécurité des passagers.

Premier atterrissage automatique d'un avion de ligne, 1965

•**1967** L'avion-fusée américain X-15A-2 atteint la vitesse record de 7 300 km/h.

•**1967** Mise en service du système de navigation par satellite Transit. Les données émises depuis le satellite permettent de se situer n'importe où sur la planète.
•**1967** Premier test réussi pour la fusée Saturne V, du type de celle qui sera utilisée pour les missions lunaires Apollo.
•**1967** Des lois américaines tentent de réduire la pollution des automobiles.
•**1967** Le Tupolev Tu-144 est le premier avion de ligne supersonique. Il n'assurera jamais de vol régulier et l'un d'eux s'écrasera au salon du Bourget en 1973.

•**1967** Mise en service de l'aéroglisseur SR-N4 entre l'Angleterre et la France.
•**1967** Les astronautes américains Cernan, Young et Stafford deviennent les hommes les plus rapides du monde en atteignant, à bord d'*Apollo 10*, la vitesse de 39 897 km/h.
•**1967** À bord d'*Apollo 11*, Neil Armstrong et Buzz Aldrin atterrissent sur la Lune.
•**1967** Premiers tests du supersonique franco-anglais Concorde.
Voir **CONCORDE, 1976.**
•**1967** Premier vol du Boeing 747.
Voir **BOEING 747, 1970.**

1970

1970   1971   1974

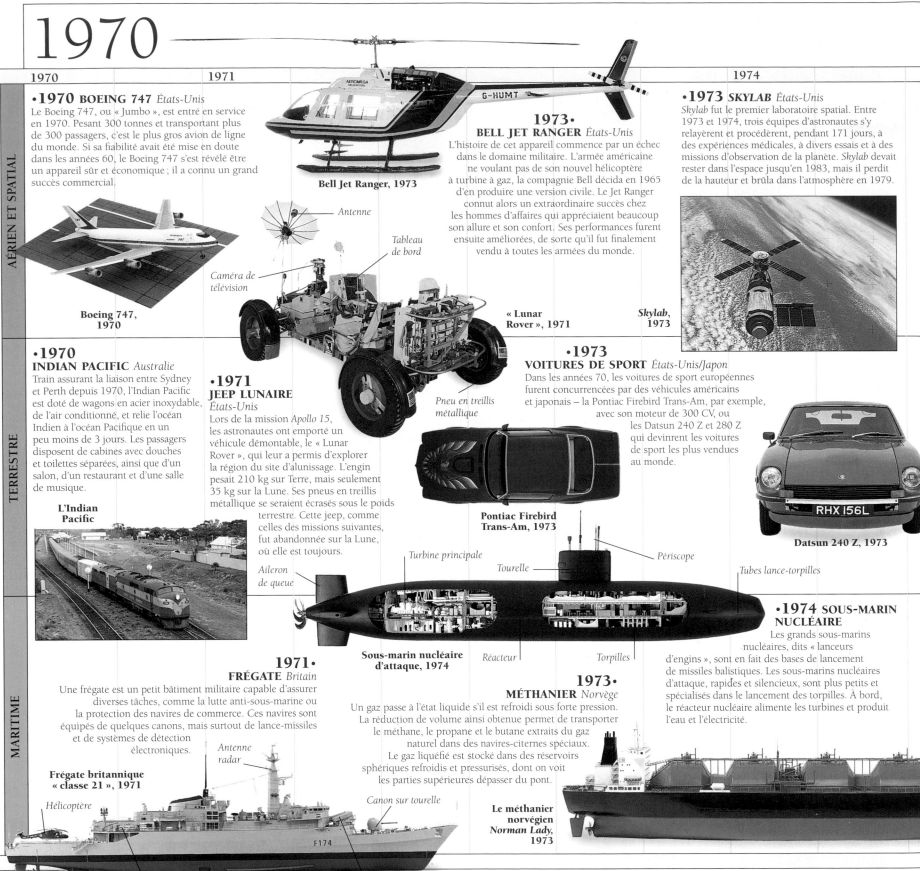

AÉRIEN ET SPATIAL

•1970 BOEING 747 *États-Unis*
Le Boeing 747, ou « Jumbo », est entré en service en 1970. Pesant 300 tonnes et transportant plus de 300 passagers, c'est le plus gros avion de ligne du monde. Si sa fiabilité avait été mise en doute dans les années 60, le Boeing 747 s'est révélé être un appareil sûr et économique ; il a connu un grand succès commercial.

Boeing 747, 1970

1973•
BELL JET RANGER *États-Unis*
L'histoire de cet appareil commence par un échec dans le domaine militaire. L'armée américaine ne voulant pas de son nouvel hélicoptère à turbine à gaz, la compagnie Bell décida en 1965 d'en produire une version civile. Le Jet Ranger connut alors un extraordinaire succès chez les hommes d'affaires qui appréciaient beaucoup son allure et son confort. Ses performances furent ensuite améliorées, de sorte qu'il fut finalement vendu à toutes les armées du monde.

Bell Jet Ranger, 1973

•1973 SKYLAB *États-Unis*
Skylab fut le premier laboratoire spatial. Entre 1973 et 1974, trois équipes d'astronautes s'y relayèrent et procédèrent, pendant 171 jours, à des expériences médicales, à divers essais et à des missions d'observation de la planète. *Skylab* devait rester dans l'espace jusqu'en 1983, mais il perdit de la hauteur et brûla dans l'atmosphère en 1979.

Antenne
Tableau de bord
Caméra de télévision

« Lunar Rover », 1971

Skylab, 1973

TERRESTRE

•1970
INDIAN PACIFIC *Australie*
Train assurant la liaison entre Sydney et Perth depuis 1970, l'Indian Pacific est doté de wagons en acier inoxydable, de l'air conditionné, et relie l'océan Indien à l'océan Pacifique en un peu moins de 3 jours. Les passagers disposent de cabines avec douches et toilettes séparées, ainsi que d'un salon, d'un restaurant et d'une salle de musique.

L'Indian Pacific

•1971
JEEP LUNAIRE
États-Unis
Lors de la mission *Apollo 15*, les astronautes ont emporté un véhicule démontable, le « Lunar Rover », qui leur a permis d'explorer la région du site d'alunissage. L'engin pesait 210 kg sur Terre, mais seulement 35 kg sur la Lune. Ses pneus en treillis métallique se seraient écrasés sous le poids terrestre. Cette jeep, comme celles des missions suivantes, fut abandonnée sur la Lune, où elle est toujours.

Pneu en treillis métallique

•1973
VOITURES DE SPORT *États-Unis/Japon*
Dans les années 70, les voitures de sport européennes furent concurrencées par des véhicules américains et japonais – la Pontiac Firebird Trans-Am, par exemple, avec son moteur de 300 CV, ou les Datsun 240 Z et 280 Z qui devinrent les voitures de sport les plus vendues au monde.

Pontiac Firebird Trans-Am, 1973

Datsun 240 Z, 1973

Aileron de queue
Turbine principale
Tourelle
Périscope
Tubes lance-torpilles

•1974 SOUS-MARIN NUCLÉAIRE
Les grands sous-marins nucléaires, dits « lanceurs d'engins », sont en fait des bases de lancement de missiles balistiques. Les sous-marins nucléaires d'attaque, rapides et silencieux, sont plus petits et spécialisés dans le lancement des torpilles. À bord, le réacteur nucléaire alimente les turbines et produit l'eau et l'électricité.

Sous-marin nucléaire d'attaque, 1974
Réacteur
Torpilles

MARITIME

1971•
FRÉGATE *Britain*
Une frégate est un petit bâtiment militaire capable d'assurer diverses tâches, comme la lutte anti-sous-marine ou la protection des navires de commerce. Ces navires sont équipés de quelques canons, mais surtout de lance-missiles et de systèmes de détection électronique.

Frégate britannique « classe 21 », 1971

Antenne radar
Hélicoptère
Canon sur tourelle
Hélice à pas variable
Tube lance-torpilles
Stabilisateur
Émetteur sonar
Lance-missiles

1973•
MÉTHANIER *Norvège*
Un gaz passe à l'état liquide s'il est refroidi sous forte pression. La réduction de volume ainsi obtenue permet de transporter le méthane, le propane et le butane extraits du gaz naturel dans des navires-citernes spéciaux. Le gaz liquéfié est stocké dans des réservoirs sphériques refroidis et pressurisés, dont on voit les parties supérieures dépasser du pont.

Le méthanier norvégien *Norman Lady*, 1973

ÉVÉNEMENTS

v. 1970 Les hydroglisseurs (navires « volant » sur des plans porteurs) sont de plus en plus répandus sur les eaux intérieures, surtout en Union soviétique.
•1970 Inauguration du chemin de fer trans-australien (3 960 km) reliant Sydney à Perth.
•1970 Deux hélicoptères Sikorsky HH-53C, ravitaillés en vol, traversent le Pacifique sans escale.

•1970 Une explosion à bord d'*Apollo 13* met en danger la vie de trois astronautes américains en route pour la Lune. Ils parviennent à revenir sur Terre sans dommages.
•1970 Trois cosmonautes soviétiques passent 24 jours dans l'espace à bord de *Salyout 1*, la première station spatiale en orbite autour de la Terre. Mais ils périssent lors du retour sur Terre.

•1971 Les astronautes américains se promènent sur la Lune avec leur « jeep » lunaire.
•1972 Les astronautes disent adieu à la Lune après la mission *Apollo 17*. Plus aucun homme n'ira sur la Lune au cours du XXᵉ siècle.
•1973 La crise pétrolière incite les constructeurs à proposer des voitures à faible consommation et haut rendement.

Le premier choc pétrolier, 1973

•1973 Les Américains placent sur orbite la station spatiale *Skylab*.
•1973 Inauguration d'un pont suspendu sur le Bosphore, à Istanbul, reliant l'Europe et l'Asie.
•1974 Aux États-Unis, où la vitesse est limitée à 88 km/h, on dénombre 45 000 tués sur les routes contre 54 000 en 1973.
•1974 Le pétrole est transporté dans le monde entier par d'énormes « supertankers ».

1975

1975	1976	1977	1978	1979

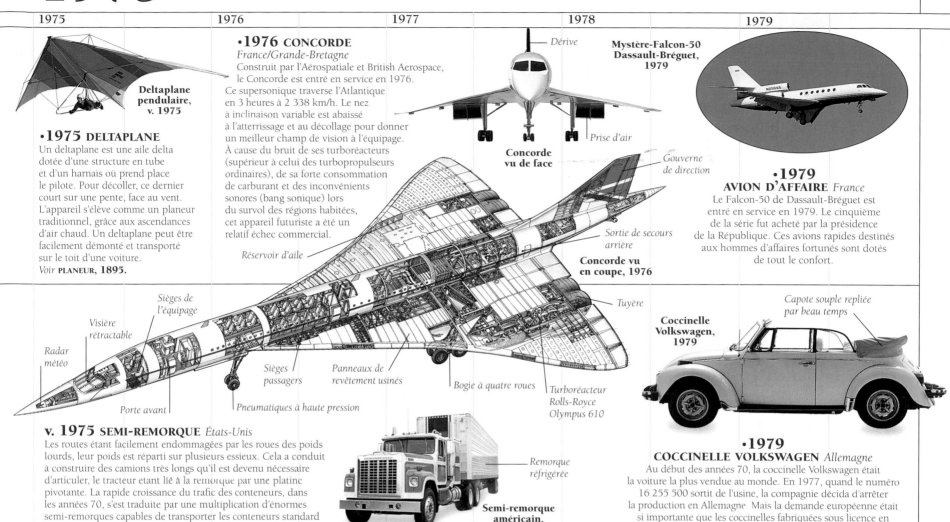

•1975 DELTAPLANE

Un deltaplane est une aile delta dotée d'une structure en tube et d'un harnais où prend place le pilote. Pour décoller, ce dernier court sur une pente, face au vent. L'appareil s'élève comme un planeur traditionnel, grâce aux ascendances d'air chaud. Un deltaplane peut être facilement démonté et transporté sur le toit d'une voiture.
Voir **PLANEUR, 1895.**

Deltaplane pendulaire, v. 1975

•1976 CONCORDE

France/Grande-Bretagne

Construit par l'Aérospatiale et British Aerospace, le Concorde est entré en service en 1976. Ce supersonique traverse l'Atlantique en 3 heures à 2 338 km/h. Le nez à inclinaison variable est abaissé à l'atterrissage et au décollage pour donner un meilleur champ de vision à l'équipage. À cause du bruit de ses turboréacteurs (supérieur à celui des turbopropulseurs ordinaires), de sa forte consommation de carburant et des inconvénients sonores (bang sonique) lors du survol des régions habitées, cet appareil futuriste a été un relatif échec commercial.

Dérive — **Concorde vu de face** — Prise d'air

Réservoir d'aile

Mystère-Falcon-50 Dassault-Bréguet, 1979

Gouverne de direction

Sortie de secours arrière

Concorde vu en coupe, 1976

Tuyère

Sièges de l'équipage

Visière rétractable

Radar météo

Porte avant

Sièges passagers

Pneumatiques à haute pression

Panneaux de revêtement usinés

Bogie à quatre roues

Turboréacteur Rolls-Royce Olympus 610

•1979 AVION D'AFFAIRE *France*

Le Falcon-50 de Dassault-Bréguet est entré en service en 1979. Le cinquième de la série fut acheté par la présidence de la République. Ces avions rapides destinés aux hommes d'affaires fortunés sont dotés de tout le confort.

Capote souple repliée par beau temps

Coccinelle Volkswagen, 1979

•1979 COCCINELLE VOLKSWAGEN *Allemagne*

Au début des années 70, la coccinelle Volkswagen était la voiture la plus vendue au monde. En 1977, quand le numéro 16 255 500 sortit de l'usine, la compagnie décida d'arrêter la production en Allemagne. Mais la demande européenne était si importante que les coccinelles fabriquées sous licence en Amérique du Sud furent importées jusqu'au début des années 80.

v. 1975 SEMI-REMORQUE *États-Unis*

Les routes étant facilement endommagées par les roues des poids lourds, leur poids est réparti sur plusieurs essieux. Cela a conduit à construire des camions très longs qu'il est devenu nécessaire d'articuler, le tracteur étant lié à la remorque par une platine pivotante. La rapide croissance du trafic des conteneurs, dans les années 70, s'est traduite par une multiplication d'énormes semi-remorques capables de transporter les conteneurs standard de 12 m de long. *Voir* **PORTE-CONTENEURS, 1969.**

Remorque réfrigérée

Semi-remorque américain, v. 1975

1975• HYDROGLISSEUR À HYDROJET *États-Unis*

À partir d'une certaine vitesse, la coque d'un hydroglisseur se soulève hors de l'eau et l'engin ne repose plus que sur les plans porteurs situés sous la coque. Grâce à la considérable réduction du frottement que cela entraîne, cet hydroglisseur Boeing propulsé par un hydrojet (turbine rejetant de l'eau) atteint la vitesse de 43 nœuds (80 km/h).

Un hydroglisseur navigue sur ses plans porteurs

•1977 PLANCHE À VOILE

États-Unis

Le Californien Hoyle Schweitzer a breveté une planche à voile en 1968, mais l'invention remonte peut-être à dix ans plus tôt. Une planche à voile est une planche de surf dotée d'une voile triangulaire que l'on tient par un wishbone. Les courses de vitesse et les épreuves de sauts de vagues ont connu un tel succès que la planche à voile est devenue, en 1984, une épreuve olympique.

Planche à voile, 1977

•1978 SUPERTANKER

La majeure partie du pétrole mondial est transportée par des pétroliers géants, ou « supertankers ». Pesant près de 500 000 tonnes et atteignant 450 m de long, ils sont si gros qu'il leur faut plusieurs kilomètres pour virer ou s'arrêter. À pleine charge, ils sont très bas sur l'eau et les vagues s'écrasent sur le pont, mais ils sont aussi très stables. Le pétrole, moins dense que l'eau, leur confère une excellente flottabilité.

Supertanker, 1978

1975-1979

•**1975** Les avions de ligne sont équipés de centrales inertielles calculant automatiquement la position exacte de l'avion, sans recours à aucun repère extérieur à l'appareil.
•**1975** L'expansion du terrorisme international conduit à intensifier les contrôles de sécurité dans les aéroports.
•**1975** À Hong Kong, premier service régulier d'hydroglisseur à hydrojet.
•**1975** Une loi américaine visant à économiser le carburant stipule qu'à l'horizon 1985, les voitures doivent consommer au maximum 8,5 litres aux 100 km.

•**1976** Le décollage simultané de deux Concorde en France et en Angleterre ouvre la première ligne aérienne supersonique.
•**1976** Au-dessus de la Californie, un Lockheed SR-71A Blackbird porte le record de vitesse à 3 530 km/h.
•**1976** Inauguration d'une voie ferrée de 1 859 km entre la Tanzanie et la Zambie.
•**1976** Deux sondes spatiales américaines Viking atterrissent sur Mars. Elles ne trouvent aucun signe de vie.

Chaîne de construction automobile robotisée, années 70

•**1977** Les voitures sont construites par des robots pilotés par ordinateur. On compte 7 000 robots de ce type au Japon.
•**1977** À bord de son *Spirit of Australia*, Kenneth Warby porte le record de vitesse sur l'eau à 514 km/h.
•**1978** Dans l'Utah, une moto à deux moteurs, la *Lightning Bolt*, atteint la vitesse de 513 km/h.
•**1978** En Angleterre, une voiture solaire roule à 13 km/h.

•**1979** Un prototype japonais de train magnétique atteint la vitesse de 515 km/h. Repoussé par des champs magnétiques, ce train flotte au-dessus des rails.
•**1979** Le coureur cycliste américain Bryan Allen propulse l'avion à pédales *Gossamer Albatross* d'Angleterre en France.

1980

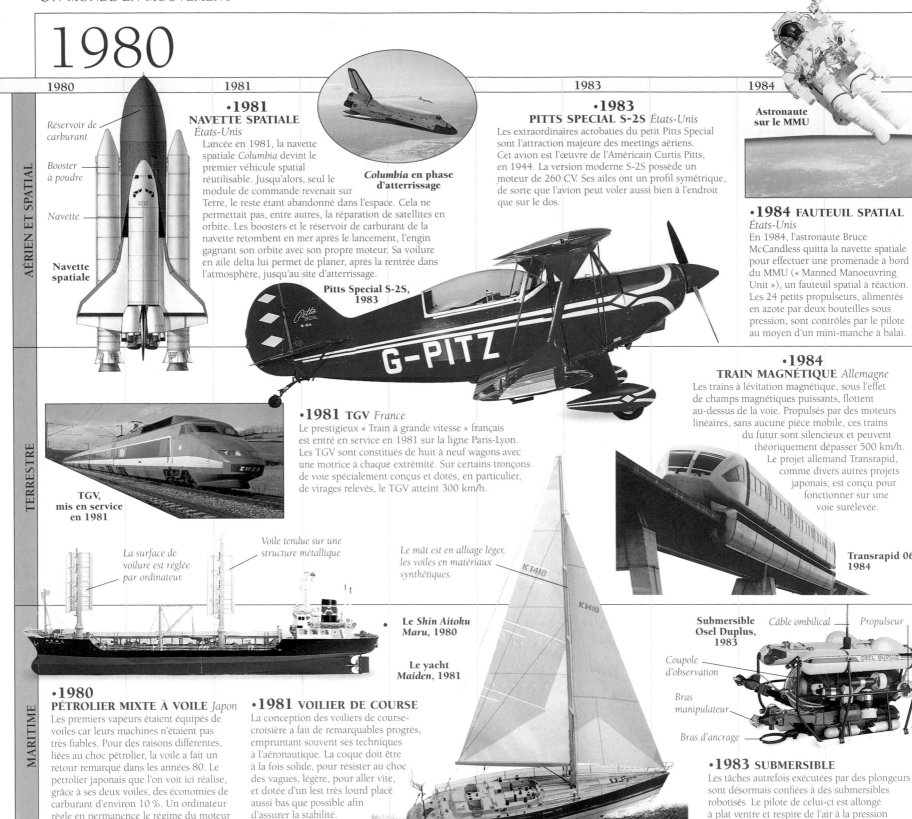

| 1980 | 1981 | 1983 | 1984 |

AÉRIEN ET SPATIAL

Réservoir de carburant

Booster à poudre

Navette

Navette spatiale

•1981
NAVETTE SPATIALE *États-Unis*

Lancée en 1981, la navette spatiale *Columbia* devint le premier véhicule spatial réutilisable. Jusqu'alors, seul le module de commande revenait sur Terre, le reste étant abandonné dans l'espace. Cela ne permettait pas, entre autres, la réparation de satellites en orbite. Les boosters et le réservoir de carburant de la navette retombent en mer après le lancement, l'engin gagnant son orbite avec son propre moteur. Sa voilure en aile delta lui permet de planer, après la rentrée dans l'atmosphère, jusqu'au site d'atterrissage.

***Columbia* en phase d'atterrissage**

•1983
PITTS SPECIAL S-2S *États-Unis*

Les extraordinaires acrobaties du petit Pitts Special sont l'attraction majeure des meetings aériens. Cet avion est l'œuvre de l'Américain Curtis Pitts, en 1944. La version moderne S-2S possède un moteur de 260 CV. Ses ailes ont un profil symétrique, de sorte que l'avion peut voler aussi bien à l'endroit que sur le dos.

Pitts Special S-2S, 1983

G-PITZ

Astronaute sur le MMU

•1984 FAUTEUIL SPATIAL
États-Unis

En 1984, l'astronaute Bruce McCandless quitta la navette spatiale pour effectuer une promenade à bord du MMU (« Manned Manoeuvring Unit »), un fauteuil spatial à réaction. Les 24 petits propulseurs, alimentés en azote par deux bouteilles sous pression, sont contrôlés par le pilote au moyen d'un mini-manche à balai.

•1984
TRAIN MAGNÉTIQUE *Allemagne*

Les trains à lévitation magnétique, sous l'effet de champs magnétiques puissants, flottent au-dessus de la voie. Propulsés par des moteurs linéaires, sans aucune pièce mobile, ces trains du futur sont silencieux et peuvent théoriquement dépasser 500 km/h. Le projet allemand Transrapid, comme divers autres projets japonais, est conçu pour fonctionner sur une voie surélevée.

TERRESTRE

•1981 TGV *France*

Le prestigieux « Train à grande vitesse » français est entré en service en 1981 sur la ligne Paris-Lyon. Les TGV sont constitués de huit à neuf wagons avec une motrice à chaque extrémité. Sur certains tronçons de voie spécialement conçus et dotés, en particulier, de virages relevés, le TGV atteint 300 km/h.

TGV, mis en service en 1981

Transrapid 06, 1984

La surface de voilure est réglée par ordinateur.

Voile tendue sur une structure métallique

Le mât est en alliage léger, les voiles en matériaux synthétiques.

K 1418

K 1418

Submersible Osel Duplus, 1983

Câble ombilical   *Propulseur*

Coupole d'observation

Bras manipulateur

Bras d'ancrage

MARITIME

Le Shin Aitoku Maru, 1980

Le yacht Maiden, 1981

•1980
PÉTROLIER MIXTE À VOILE *Japon*

Les premiers vapeurs étaient équipés de voiles car leurs machines n'étaient pas très fiables. Pour des raisons différentes, liées au choc pétrolier, la voile a fait un retour remarqué dans les années 80. Le pétrolier japonais que l'on voit ici réalise, grâce à ses deux voiles, des économies de carburant d'environ 10 %. Un ordinateur règle en permanence le régime du moteur en fonction de la force du vent.

•1981 VOILIER DE COURSE

La conception des voiliers de course-croisière a fait de remarquables progrès, empruntant souvent ses techniques à l'aéronautique. La coque doit être à la fois solide, pour résister au choc des vagues, légère, pour aller vite, et dotée d'un lest très lourd placé aussi bas que possible afin d'assurer la stabilité. Ce bateau est construit en aluminium.

MAIDEN

•1983 SUBMERSIBLE

Les tâches autrefois exécutées par des plongeurs sont désormais confiées à des submersibles robotisés. Le pilote de celui-ci est allongé à plat ventre et respire de l'air à la pression atmosphérique. Les bras manipulateurs permettent de saisir des objets ou d'effectuer des réparations. *Voir* **CLOCHE À PLONGEUR, 1965.**

ÉVÉNEMENTS

1980-1984

La sonde spatiale Voyager 2

Antenne de communications

Source radioactive

•**1980** Sept millions de motos sont construites dans le monde cette année-là, dont 90 % au Japon.
•**1980** Ouverture à la circulation du tunnel du Saint-Gothard (16 km).
•**1980** L'aéroglisseur de la marine américaine SES-100B atteint la vitesse de 92 nœuds (170 km/h).
•**1981** On dénombre 330 millions d'automobiles dans le monde, dont 80 % en Europe, en Amérique du Nord et au Japon. Le Japon en produit davantage que les États-Unis.

•**1981** Premier vol orbital réussi pour la navette spatiale *Columbia*.
•**1981** La sonde spatiale américaine *Voyager 2* passe à 101 000 km de Saturne. Lancée en 1977, *Voyager 2* a déjà visité Jupiter ; elle survolera Uranus (1986) et Neptune (1989) avant de quitter pour toujours le système solaire.
•**1981** Inauguration en Angleterre du plus long pont suspendu du monde (1 410 m) – celui de la rivière Humber.

Le pont de la Humber, 1981

•**1981** Mise en service du TGV français.
•**1981** La Datsun 280 ZX japonaise est équipée d'un synthétiseur de parole qui avertit le conducteur en cas de problème mécanique.

•**1983** L'Anglais Richard Noble porte le record de vitesse terrestre à 1 019 km/h sur son *Thrust 2* à moteur à réaction.
•**1983** Un système de métro entièrement automatique (sans chauffeur) est mis en service à Lille.
•**1983** Par crainte de la pollution, les automobilistes commencent à utiliser de l'essence sans plomb.
•**1984** Un astronaute américain effectue une sortie dans l'espace sur son fauteuil spatial.
•**1984** Trois cosmonautes soviétiques passent 238 jours dans l'espace à bord de la station *Salyout 7*.

1985

Northrop B-2, bombardier furtif, 1989

Entrée d'air

•1986 VOYAGER *États-Unis*

En 1986, un avion ultraléger baptisé *Voyager* a effectué un vol de 40 000 km autour du monde sans escale. Il était piloté par Dick Rutan et Jeana Yeager qui se relayèrent aux commandes dans le cockpit de 62 cm de large. L'engin dessiné par Burt Rutan était conçu pour présenter une résistance minimale, être aussi léger que possible et emporter un maximum de carburant.

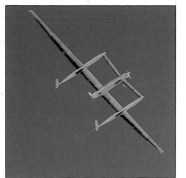

Voyager, 1986

•1986 BEECH STARSHIP *États-Unis*

Le Starship à 11 places de la compagnie Beech Aircraft est un des premiers avions dont la construction a fait extensivement appel aux matériaux composites. Propulsé par deux hélices « poussantes », l'avion a des ailes munies d'ailerons verticaux qui améliorent le rendement. Comme *Voyager*, le Starship a été conçu par Burt Rutan.

Aile contenant les réservoirs

Beech Starship, 1986

•1989 BOMBARDIER FURTIF *USA*

Le Northrop B-2, ou bombardier furtif, a effectué son premier vol en 1989. Son rôle est de faire des incursions en territoire ennemi et de lâcher sa bombe de 23 tonnes sans être détecté. Cet avion sans queue, aux formes acérées et aux entrées d'air cachées, est invisible aux radars. Son revêtement et les matériaux composites dont il est fait absorbent les ondes radar.

Enseigne lumineuse — *Antenne radio*

Taxi londonien

v. 1985 TAXIS

Les taxis sont une composante importante des transports urbains. La plupart des grandes villes ont des taxis bien caractéristiques. Les taxis noirs londoniens n'ont guère changé d'aspect depuis leur mise en service en 1958, et les taxis jaunes new-yorkais font partie du folklore américain. Le rickshaw à pédales – version moderne de l'ancien jinrikisha – se trouve dans la plupart des villes asiatiques. *Voir* JINRIKISHA, 1892.

•1987 TÉLÉPHÉRIQUE

Les premiers téléphériques furent installés en Suisse et en Autriche dès le XIXᵉ siècle. En 1987, un nouveau modèle, d'origine autrichienne, fut installé à Bob's Peak, en Nouvelle-Zélande. Ses cabines à quatre places sont suspendues à un câble de 35 mm, et celles qui descendent équilibrent le poids de celles qui montent, ce qui rend le système plus sûr et réduit la puissance nécessaire pour déplacer les cabines.

Téléphérique de Bob's Peak, Nouvelle-Zélande

•1989 VTT

Le premier « Vélo tout terrain » fut construit par les Américains Charles Kelly et Gary Fisher en 1981. En quelques années, il a conquis le monde entier à cause de sa robustesse, de sa légèreté et de ses multiples vitesses qui permettent de l'utiliser en ville comme en montagne.

VTT de montagne, 1989   *Pneus épais*

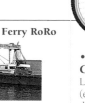

Capote

Rickshaw, Bangladesh

Les pédales actionnent les roues arrière.

•1986 BRISE-GLACE

Les brise-glace sont indispensables à la navigation dans les eaux arctiques. Les premiers étaient équipés d'hélices d'étrave, à l'avant, pour augmenter la force de propulsion. Les plus récents, comme celui-ci, injectent de l'air à haute pression sous l'étrave. Les bulles ainsi créées agissent comme un lubrifiant et permettent à la coque de glisser dans le mélange de glace et d'eau.

Le brise-glace finlandais *Otso*, 1986

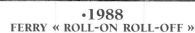

Ferry RoRo

•1988 FERRY « ROLL-ON ROLL-OFF »

Les ferries « Roll-on Roll-off », ou « RoRo », sont dotés d'une porte à l'avant et d'une porte à l'arrière. Cela facilite le déchargement des voitures – en éliminant les manœuvres de retournement des véhicules ou les grutages. La plupart sont équipés de propulseurs d'étrave, pour être plus manœuvrants.

•1989 BATEAU DE COURSE « OFFSHORE »

Les bateaux de course « offshore » (en pleine mer) sont propulsés par des moteurs semblables à ceux des voitures de course. Piloter de tels engins au ras de l'eau et sur la crête des vagues est difficile et dangereux : en cas d'accident à grande vitesse, l'eau est aussi dure que du béton.

La coque est entièrement doublée en acier inoxydable.

OTSO

« Pachanga 27 », 1989

- •**1985** L'aéroport de Chicago O'Hare accueille 700 000 vols par an et 44 millions de passagers. C'est le plus actif du monde.
- •**1985** La NASA projette d'assembler une station spatiale permanente, mais le gouvernement hésite à donner son accord au vu du coût de l'opération.
- •**1986** Au terme d'un vol de 9 jours, l'avion expérimental *Voyager* est le premier à effectuer un tour du monde sans ravitaillement en vol.
- •**1986** La sonde européenne *Giotto* passe à 600 km du noyau de la comète de Halley.

- •**1986** Après dix vols réussis, le programme de la navette spatiale s'arrête à la suite de l'explosion en vol de la navette *Challenger*. Sept astronautes sont tués.
- •**1986** Deux cosmonautes soviétiques passent quatre mois dans l'espace à bord de la station spatiale *Mir*.
- •**1986** Des ingénieurs californiens envisagent de mettre au point une autoroute électronique ; l'espacement des voitures et le freinage des véhicules seraient assurés par des ordinateurs.

- •**1988** L'autonomie du nouveau Boeing 747-400 de 500 places est de 13 000 km.
- •**1988** Au Japon, début des travaux du plus long pont suspendu du monde, le pont Akashi, dont la travée centrale fait 2 km.
- •**1988** Le plus long tunnel ferroviaire du monde, le Seikan (54 km), relie les îles de Honshu et d'Hokkaido.
- •**1988** Les moteurs Diesel les plus puissants jamais construits (58 000 CV) équipent des porte-conteneurs.

Vue du tunnel Seikan, terminé en 1988

- •**1988** Premier vol de la navette spatiale soviétique *Bourane*.
- •**1988** Le véhicule solaire américain *Sunraycer* atteint la vitesse de 78 km/h.
- •**1989** Le pétrolier *Exxon Valdez* déverse 32 000 tonnes de brut dans le golfe d'Alaska. La dépollution des côtes va coûter un milliard de dollars.
- •**1989** Premier vol du bombardier furtif américain Northrop B-2.
- •**1989** Un yacht à moteur de 43 m, le *Gentry Eagle*, traverse l'Atlantique en 2 jours et 14 heures.

1990

1990	1991	1992	1993

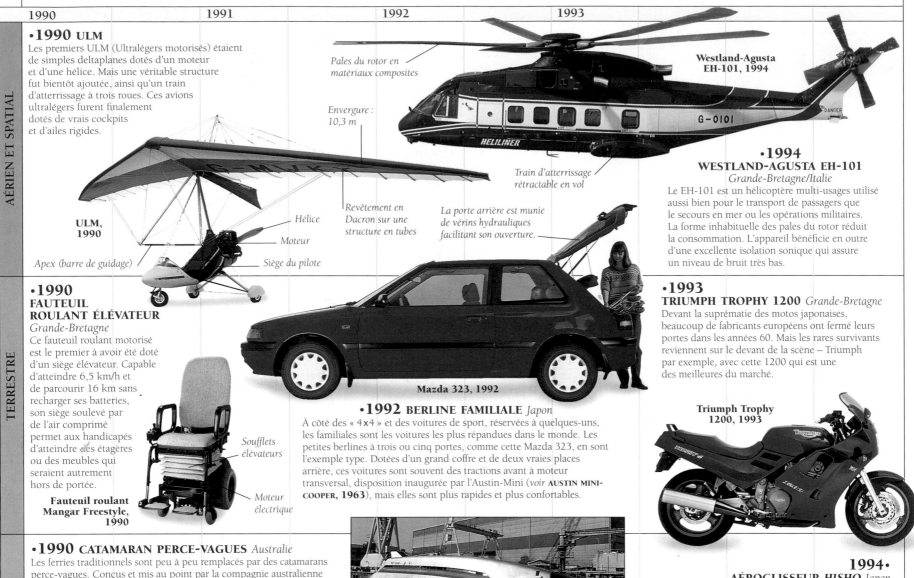

AÉRIEN ET SPATIAL

•1990 ULM
Les premiers ULM (Ultralégers motorisés) étaient de simples deltaplanes dotés d'un moteur et d'une hélice. Mais une véritable structure fut bientôt ajoutée, ainsi qu'un train d'atterrissage à trois roues. Ces avions ultralégers furent finalement dotés de vrais cockpits et d'ailes rigides.

Pales du rotor en matériaux composites

Westland-Agusta EH-101, 1994

Envergure : 10,3 m

Train d'atterrissage rétractable en vol

ULM, 1990

Hélice

Moteur

Apex (barre de guidage)

Siège du pilote

Revêtement en Dacron sur une structure en tubes

La porte arrière est munie de vérins hydrauliques facilitant son ouverture.

•1994 WESTLAND-AGUSTA EH-101 *Grande-Bretagne/Italie*
Le EH-101 est un hélicoptère multi-usages utilisé aussi bien pour le transport de passagers que le secours en mer ou les opérations militaires. La forme inhabituelle des pales du rotor réduit la consommation. L'appareil bénéficie en outre d'une excellente isolation sonique qui assure un niveau de bruit très bas.

TERRESTRE

•1990 FAUTEUIL ROULANT ÉLÉVATEUR *Grande-Bretagne*
Ce fauteuil roulant motorisé est le premier à avoir été doté d'un siège élévateur. Capable d'atteindre 6,5 km/h et de parcourir 16 km sans recharger ses batteries, son siège soulevé par de l'air comprimé permet aux handicapés d'atteindre des étagères ou des meubles qui seraient autrement hors de portée.

Fauteuil roulant Mangar Freestyle, 1990

Soufflets élévateurs

Moteur électrique

Mazda 323, 1992

•1992 BERLINE FAMILIALE *Japon*
À côté des « 4×4 » et des voitures de sport, réservées à quelques-uns, les familiales sont les voitures les plus répandues dans le monde. Les petites berlines à trois ou cinq portes, comme cette Mazda 323, en sont l'exemple type. Dotées d'un grand coffre et de deux vraies places arrière, ces voitures sont souvent des tractions avant à moteur transversal, disposition inaugurée par l'Austin-Mini (*voir* **AUSTIN MINI-COOPER, 1963**), mais elles sont plus rapides et plus confortables.

•1993 TRIUMPH TROPHY 1200 *Grande-Bretagne*
Devant la suprématie des motos japonaises, beaucoup de fabricants européens ont fermé leurs portes dans les années 60. Mais les rares survivants reviennent sur le devant de la scène – Triumph par exemple, avec cette 1200 qui est une des meilleures du marché.

Triumph Trophy 1200, 1993

MARITIME

•1990 CATAMARAN PERCE-VAGUES *Australie*
Les ferries traditionnels sont peu à peu remplacés par des catamarans perce-vagues. Conçus et mis au point par la compagnie australienne InCat, ces bateaux ne planent pas sur les vagues mais les coupent de leurs étraves acérées. Plus rapides et moins sensibles au tangage et au roulis que les catamarans traditionnels, ils atteignent 42 nœuds (78 km/h).

Catamaran perce-vagues de 74 m (perspective et vue de face)

Essais du *Yamoto 1*, 1992

•1992 *YAMOTO 1* *Japon*
Le moteur de l'extraordinaire *Yamoto 1* n'a aucune pièce mobile, et ce bateau n'a pas d'hélice. Il fonctionne selon le principe de la magnéto-hydrodynamique, ou MHD : quand on fait passer un fort courant dans un tube placé dans l'eau, et entouré d'aimants puissants, l'eau est aspirée dans le tube. Si le tube est placé sous la flottaison d'un navire, il peut le propulser. Mais on ne connaît pas encore les effets de tels courants sur l'environnement marin.

1994• AÉROGLISSEUR *HISHO* *Japon*
Alors que les aéroglisseurs n'ont guère évolué depuis les années 70, des constructeurs navals japonais travaillent au cargo-aéroglisseur de l'an 2000. L'un des prototypes, que l'on voit ici, a été lancé en 1994. Il peut transporter 200 tonnes de marchandises à 54 nœuds (100 km/h), avec un rayon d'action de 900 km ... et dans toutes les conditions de mer.

Le *Hisho*, lancé en 1994

ÉVÉNEMENTS

1990-1994

•**1990** General Motors présente son modèle électrique Impact ; il peut parcourir 190 km à 90 km/h sans recharger ses batteries.
•**1990** Un catamaran perce-vagues de construction australienne traverse l'Atlantique en 3 jours et 8 heures.
•**1990** Le TGV atteint la vitesse record de 515 km/h.
•**1990** La ville de Los Angeles, où 3 millions de travailleurs se rendent chaque jour en voiture, met en place un système de transports en commun.

•**1991** En Floride, les ingénieurs travaillent à un train magnétique à usage commercial.
•**1992** Le bateau japonais *Yamoto 1* est le premier navire propulsé par des champs magnétiques.
•**1992** Le Japon est le premier constructeur mondial de navires.
•**1993** Les ingénieurs aéronautiques travaillent au successeur de Concorde.
•**1993** La Russie et les États-Unis signent un accord pour

L'« Impact » de General Motors

exploiter conjointement une station spatiale permanente.
•**1993** En préparation à une future exploration de Mars, un robot marcheur à huit pattes, appelé *Dante*, rampe dans le cratère d'un volcan actif de l'Antarctique.
•**1993** Une loi californienne stipule que 10 % des voitures vendues après 2003 devront être équipées de systèmes de dépollution.
•**1993** La sonde spatiale *Pioneer 10*, lancée en 1972, est maintenant à 8 milliards de kilomètres de la Terre.

Le « Shuttle » du tunnel sous la Manche, 1994

•**1994** Lancement du *Hisho*, le plus grand aéroglisseur du monde.
•**1994** Inauguration de la voie ferrée reliant la France à l'Angleterre à travers le tunnel sous la Manche (50 km).
•**1994** Construction d'une île artificielle au large de Hong Kong, où sera construit le plus grand aéroport du monde.
•**1994** Une voiture solaire, *Aurora Q1*, traverse l'Australie en 8 jours à la vitesse moyenne de 50 km/h.

Et demain ?

Projet de long-courrier supersonique

LONG-COURRIERS SUPERSONIQUES

Une nouvelle génération de supersoniques est en développement pour répondre à l'accroissement des voyages d'affaires. Plus silencieux que Concorde, ces avions pourront transporter deux fois plus de passagers sur des distances de 13 000 km. Les coûts de développement, très élevés, ne pourront être assurés que par un consortium international, mais les compagnies aériennes préféreront peut-être des « superjumbos » plus traditionnels.

STATION SPATIALE

On projette toujours d'assembler une grande station spatiale permanente où les chercheurs pourraient procéder à des expériences et observer la Terre et les étoiles. Cela permettrait aussi de procéder plus facilement à des réparations sur des satellites endommagés.

Le HL-20, ailes repliées, tient dans la soute de la navette.

Modèle du HL-20

La galaxie d'Andromède

Station spatiale

TAXIS DE L'ESPACE

Lorsque des stations spatiales permanentes seront en orbite, il faudra des petits véhicules économiques pour faire la navette avec la Terre. Le HL-20, une petite navette spatiale, est actuellement en développement. Lancé par un booster largable, il pourrait atterrir sur un aérodrome normal. Grâce à ses ailes repliables, il pourrait prendre place, si nécessaire, dans la soute de la navette spatiale.

VOYAGES INTERSTELLAIRES

Les étoiles, les planètes et les galaxies situées au-delà du système solaire sont si éloignées qu'il sera sans doute impossible de les atteindre. L'étoile la plus proche de la Terre est par exemple à 4,2 années-lumière ! Mais les sondes robotisées pourront nous transmettre des informations venant des confins de l'espace.

Prototypes à très faible consommation

LA VOITURE DE DEMAIN

Confrontées à la raréfaction des ressources énergétiques, les voitures de demain devront consommer moins et être plus propres. Elles seront probablement en matériaux légers – fibre de carbone et aluminium – ce qui réduira leur consommation. La voiture électrique est propre, mais l'électricité qu'elle utilise vient de centrales thermiques brûlant du pétrole. Les voitures solaires sont aussi en développement.

TOUJOURS PLUS VITE

La recherche de la vitesse reste l'objet de nombreuses études. Ses spécialistes (*voir* ÉVÉNEMENTS **1965 ET 1983**) espèrent un jour atteindre ou dépasser la vitesse du son (environ 1 200 km/h). Ces tentatives peuvent sembler inutiles, mais elles sont suivies de près par les constructeurs automobiles qui sont à l'affût de la moindre innovation pour l'appliquer aux véhicules ordinaires.

Tramway à Manchester, Angleterre

LE RETOUR DU TRAMWAY

Alors que les centres urbains s'engorgent partout dans le monde, les pouvoirs publics tentent de promouvoir l'usage des transports en commun. À côté des métros, de nouveaux véhicules légers sur rails apparaissent, dont le tramway qui avait disparu des villes depuis des dizaines d'années.

TRAVAILLER CHEZ SOI

Une des principales causes de l'engorgement du trafic urbain tient aux déplacements des gens qui travaillent en ville. Grâce aux ordinateurs, aux modems, aux téléphones et aux fax, il est désormais possible de travailler à domicile, ce qui permettra peut-être un jour d'éliminer les embouteillages.

Travail à domicile

Le *Thrust SSC* de Richard Noble, voiture supersonique

SUPER-PAQUEBOTS

Le succès grandissant du tourisme de croisière a conduit les compagnies maritimes à mettre en chantier des navires de plus en plus gros – certains atteignant 100 000 tonnes. Ces paquebots luxueux sont dotés des derniers systèmes de haute technologie, comme des salles de spectacle électroniques et des piscines à toit rétractable.

Ce navire de croisière de 100 000 tonnes – en projet – sera le plus gros paquebot jamais construit.

BATEAUX DU FUTUR

L'avenir du transport maritime se trouve peut-être dans un nouveau type de navire, le « Swath » (« Small water area twin hull ») à mi-chemin entre le catamaran et l'aéroglisseur. L'engin, entièrement hors de l'eau, est porté par deux flotteurs en forme de cigare dont seuls les supports fendent les vagues : la vitesse ainsi obtenue devrait s'accompagner de notables économies d'énergie.

Prototype russe à effet de surface

VÉHICULE À EFFET DE SURFACE

Les avions utilisent l'« effet de sol » lorsqu'ils atterrissent, le coussin d'air pris entre les ailes et le sol leur donnant alors une portance supplémentaire. Les véhicules marins à effet de surface utilisent ce phénomène pour glisser à la surface de l'eau à la manière d'un aéroglisseur mais beaucoup plus rapidement. Les prototypes actuels seront peut-être un jour des moyens de transport rapides sur les lacs et les côtes.

Vue d'artiste du « Super Technoliner » en développement au Japon

Index

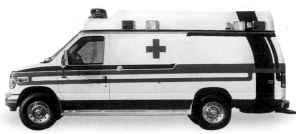

Ambulance, 1990

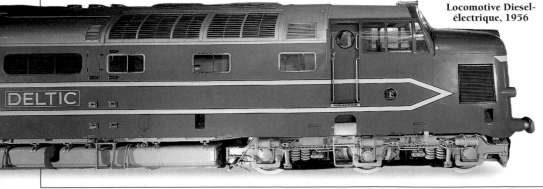

Locomotive Diesel-électrique, 1956

**Hélicoptère Schweizer 300c,
1980**

**Voiturette électrique
pour handicapés, 1990**

Remerciements

Dorling Kindersley tient à remercier :
Les équipes du « National Maritime Museum » et du « Science Museum », ainsi que Esther Labi, pour leur aide éditoriale ; Robin Hunter et Kate Eagar pour la conception de la maquette ; Sarah Hill ; le « British Museum Education Service » ; le « Museum of Mankind » ; le « Royal Institute of Natural Architects ».

Légende : g=gauche ; d=droite ; c=centre ; h=haut ; b=bas ou dessous ; a=au-dessus.

Photographies spéciales : Tina Chambers pour les photographies au « National Maritime Museum ». David Exton et John Lepine pour les photographies au « Science Museum ».
Autres photographies : « American Museum of Natural History » (article 50/5756) ; « Ashmolean Museum » ; « British Library » ; « British Museum » ; ESA ; « Exeter Maritime Museum » ; Planétarium de Londres ; « Museum of Mankind »/« British Museum » ; « National Maritime Museum » ; « National Motor Museum », Beaulieu ; « National Railway Museum », York ; « Noordwijk Space Expo » ; « The Royal Armouries », Royal Artillery Trust, Woolwich ; « Science Museum ».
Photographes : Peter Anderson ; Geoff Brightling ; Martin Cameron ; Peter Chadwick ; Andy Crawford ; Geoff Downs ; Peter Downs ; Mike Dunning ; Lynton Gardiner ; Philip Gatward ; Christi Graham ; Peter Hayman ; Dudley Hubbard ; Dave King ; Richard Leeney ; Ray Moller ; Nick Nicholls ; Susanna Price ; James Stevenson ; Clive Streeter ; Matthew Ward ; Jerry Young.
Illustrateurs : David Ashby 10cd ; Russell Barnett 9hd, 9bd, 12hg ; Luciano Corbello 42hg, 42bg ; David Pugh, 41h.
Crédits photographiques : Lesley & Roy Adkins 7cdb ; Advertising Archives 33cga ; J. A. Allen & Co. Ltd/Major A. B. Shone 14cga ; Archiv für Kunst und Geschichte 10bc, 26cgb, 28bd, 31bc, 33bc ; musée du Louvre 10hc.
Arcwind Ltd 41cb ; Ashmolean Museum, Oxford 9hc ; Australian High Commission, London 40cg ; Aviation Photographs International 34hg, 41hd, 43hd, 45hg ; Aviation Picture Library/Austin Brown 33hc, 43hcb ; Stephen Piercey 34ca ; Avico Press/Aleksander Belyaev 45hg ; avec l'autorisation de la compagnie Boeing 40hg, 41cgb ; Bridgeman Art Library/National Railway Museum, York 17bg ; British Library 12hd ; British Museum 6hg ; Neill Bruce/Peter Roberts Collection 26hd ; Peter A. Clayton 6bga ; Coo-ee Historical ; Picture Library 32hd ; Culver Pictures 19c ; Devonshire Collection, Chatsworth. Avec l'autorisation de Chatsworth Settlement

Trustees 14cd ; C. M. Dixon 6hd ; ET Archive 6bda, 7bc, 14hd, 18cda, 21cga ; Bibliothèque nationale, Paris 12cd ; British Museum 9c ; Ironbridge Gorge Museum 17cdb ; Mary Evans 8hd, 8cd, 8cdb, 11cda, 13hc, 13bd, 14ca, 15hc, 15hd, 16hd, 16bc, 18hd, 20bc, 21cb, 22c, 23hc, 23bc, 24cd, 25bc, 27hg, 27bg, 27cdb, 28cgb, 28hd, 29ca, 29bd, 30hg, 31cd, 32hc, 34bc ; Werner Forman Archive/Nick Saunders 13hcd ; Genesis Space Photo Library 35bd, 37hd ; Robert Harding/Nelly Boyd 45cda ; Wilbur House, Hull City Museum & Art Galleries 16cdb ; Hulton Deutsch Collection 15cb, 18cgb, 24hd, 35bg, 39bc, 40bd ; Images Colour Library 43cb ; Image Select 26hg ; Imperial War Museum 34c ; London Transport Museum 24cg, 30cga, 31cda, 32cga ; Maclaren 39cg ; Master & Fellows, Magdalene College, Cambridge 13c ; Magnum/René Burri 43hg/Jean Gaumy 38cb ; Mangar Aids Ltd 44cg ; Mansell Collection 22hg, 23hg, 24cdb, 25cb ; Mercedes Benz 32cg, 36bc ; musée J. Armand Bombardier, Québec 34bg ; NASA 40hd, 40hcb, 42hc, 42hd, 45hcd, 45hcg/JPL 36hc ; National Maritime Museum 14bc ; National Motor Museum, Beaulieu 38cda ; National Museums of Scotland/Scottish Ethnological Archive 27cgb ; Peter Newark's Pictures 17cb, 24bc, 28cg, 30bc, 33c, 34cg, 34cgb, 35cda, 35c ; Nissan 41bc ; Novosti 38bc ; Robert Opie Collection 26bd, 28bg ; Pictor International 37cdb, 42bd ; Pitt Rivers Museum 22-23c ; Popperfoto 44cdb ; The Post Office 18cga ; QA Photos 44bd ; Quadrant 30hc, 34cd, 36bd, 38hdb, 39cb, 42cd ; Tony Hobbs 38hd ; Range Pictures 23c, 26bc, 31cdb, 38bg ; Redfunnel 37bc ; Rex Features 42cg ; Ann Ronan de Image Select 16bd, 19hd, 21hd ; Royal Aeronautical Society 20hg, 24hg, 31hc, 33hd ; Royal Navy Submarine Museum 15bd ; Science Museum/Science & Society Picture Library 3bg, 8hg, 17hc, 18cg, 19cdb, 21c, 21bd, 23cg, 23hd, 23cdb, 25hg, 27cd, 28hg, 29hc, 29cd, 35bda ; Science Photo Library/Martin Bond 36cb ; Tony Hallas 45hd ; NASA 32bc ; Sea Containers 44cgb, 44cgg ; Frank Spooner Pictures 43bd, 44bg/Alain Le Bot 45cg ; Mitsuhiro Wada 44cb ; Tony Stone Images 38cd/Warren Jacobs 43cda ; Martin Rogers 41cdb ; Technological Research Association of Techno-Superliner, Tokyo 45bd ; Transport Know How Ltd 41c ; TRH/DOD 34cga ; Westland 35bga ; Triumph Motorcycles Ltd 44cd ; Michael Turner 45c ; University Museum of National Antiquities Oslo, Norway 11bd ; Westland Group 44hd ; Noël Whittall 41hg ; York Archaeological Trust 11bc.

Navire de la Compagnie des Indes, XVIIe siècle